'사고력수학의 시작'

팡세

pensées

S4

6세 | 카운팅

사고력 수학을 묻고 팡세가 답해요

Q: 사고력 수학은 '왜' 해야 하나요?

사고력 수학은 아이에게 낯선 문제를 접하게 함으로써 여러 가지 문제 해결 방법을 아이 스스로 생각하게 하는 것에 목적이 있어요. 정석적인 한 가지 풀이법만 알고 있는 아이는 결국 중등 이후에 나오는 응용 문제에 대한 해결력이 현저히 떨어지게 되지요. 반면 사고력 수학을 통해 여러 가지 풀이법을 스스로 생각하고 알아낸 경험이 있는 아이들은 한 번 막히는 문제도 다른 방법으로 뚫어낼 힘이 생기게 된답니다. 이러한 힘을 기르는 데 있어 사고력 수학이 가장 크게 도움이 된다고 확신해요.

Q: 사고력 수학이 '필수'인가요?

No but Yes! 초등 수학에서 가장 필수적인 것은 교과와 연산이지요. 또 중등에서의 서술형 평가를 대비하기 위한 서술형 학습과 어려운 중등 도형을 헤쳐나가기 위한 도형 학습 정도를 추가하면 돼요. 사고력 수학은 그 다음으로 중요하다고 할 수 있어요. 다만 만약 중등 이후에도 상위권을 꾸준하게 유지하겠다고 하시면 사고력 수학은 필수랍니다.

Q: 사고력 수학, 꼭 '어려운' 문제를 풀어야 하나요?

No! 기존의 사고력 수학 교재가 어려운 이유는 영재교육원 입시 때문이었어요. 상위권 중에서도 더 잘하는 아이, 즉 영재를 골라내는 시험에 사고력수학 문제가 단골로 출제되었고, 이에 대비하기 위해 만들어진 것이 초창기 사고력 수학 교재이지요. 하지만 모든 아이들이 영재일 수는 없고, 또 그래야할 필요도 없어요. 사고력 수학으로 영재를 확실하게 선별할 수 있는 것도 아니에요. 따라서 사고력 수학의 원래 목적, 즉 새로운 문제를 풀 수 있는 능력만 기를 수 있다면 난이도는 중요하지 않답니다. 오히려 어려운 문제는 수학에 대한 아이들의 자신감을 떨어뜨리는 부작용이 있다는 점! 반드시 기억해야 해요.

Q: 사고력 수학 학습에서 어떤 점에 '유의'해야 할까요?

가장 중요한 것은 아이가 스스로 방법을 생각할 수 있는 시간을 충분히 주는 거예요. 엄마나 선생님이 옆에서 방법을 바로 알려주거나 해답지를 줘버리면 사고력 수학의 효과는 없는 거나 마찬가지랍니다. 설령 문제를 못 풀더라도 아이가 스스로 고민하는 습관을 가지고, 방법을 찾아가는 시간을 늘리는 것이 아이의 문제해결력과 집중력을 기르는 방법이라고 꼭 새기며 아이가 스스로 발전할 수 있는 가능성을 믿어 보세요.

또 하나 더 강조하고 싶은 것은 문제의 답을 모두 맞힐 필요가 없다는 거예요. 사고력 수학 문제를 백점 맞는다고 해서 바로 성적이 쑥쑥 오르는 것이 아니에요. 사고력 수학은 훗날 아이가 더 어려운 문제를 풀기 위한 수학적 힘을 기르는 과정으로 봐야 하는 거지요. 그러니 아이가 하나 맞히고 틀리는 것에 일희일비하지 말고 우리 아이가 문제를 어떤 방법으로 풀려고 했고, 왜 어려워 하는지 표현하게 하는 것이 훨씬 중요하답니다. 사고력 수학은 문제의 결과인 답보다 답을 찾아가는 과정 그 자체에 의미가 있다는 사실을 꼭! 꼭! 기억해 주세요.

팡세의 구성과 특징

1. 패턴, 퍼즐과 전략, 유추, 카운팅 - 새로운 시대에 맞는 새로운 사고력 영역!
2. 아이가 혼자서도 술술 풀어나가며 자신감을 기르기에 딱 좋은 난이도!
3. 하루 10분 1장만 풀어도 초등에서 꼭 키워야 하는 사고력을 쑥쑥!

일일 소주제 학습

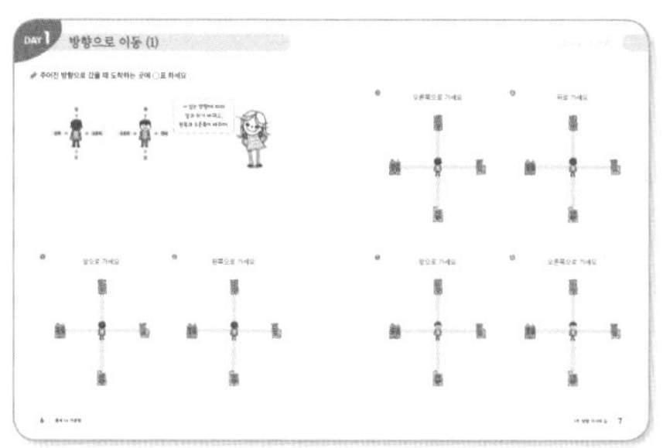

하루에 10분씩
매일 1장씩만
꾸준히 풀면 돼.

주차별 확인학습

5일 동안 배운 것 중
가장 중요한 문제를
복습하는 거야!

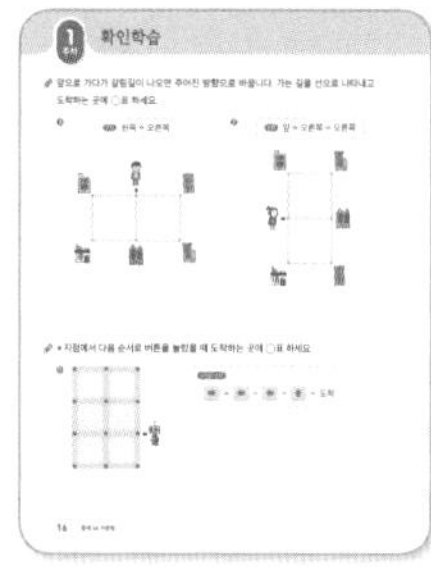

월간 마무리 평가

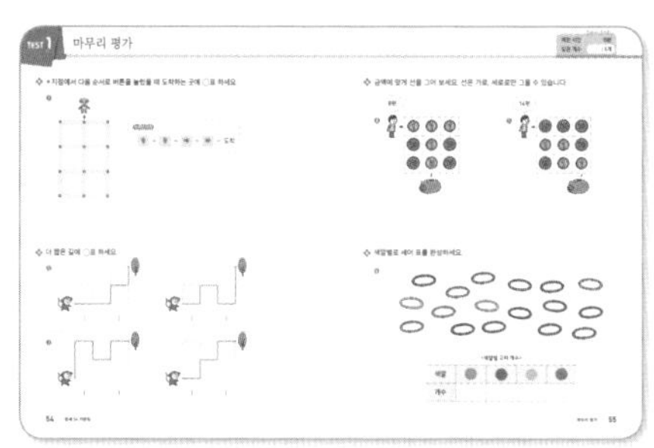

4주 동안 공부한
내용 중 어디가 부족한지
알 수 있다. 삐리삐리~

이 책의 **차례**

S4

pensées

1
주차

방향 지시

DAY 1 방향으로 이동 (1)

주어진 방향으로 갔을 때 도착하는 곳에 ○표 하세요.

❶ 앞으로 가세요.

❷ 왼쪽으로 가세요.

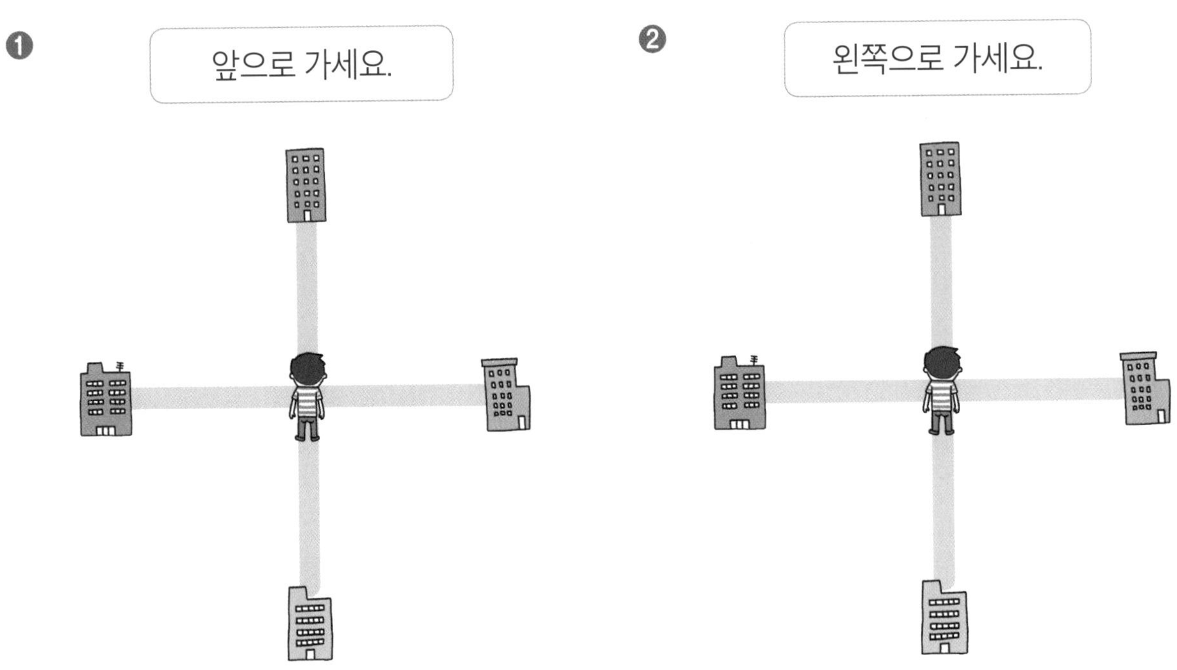

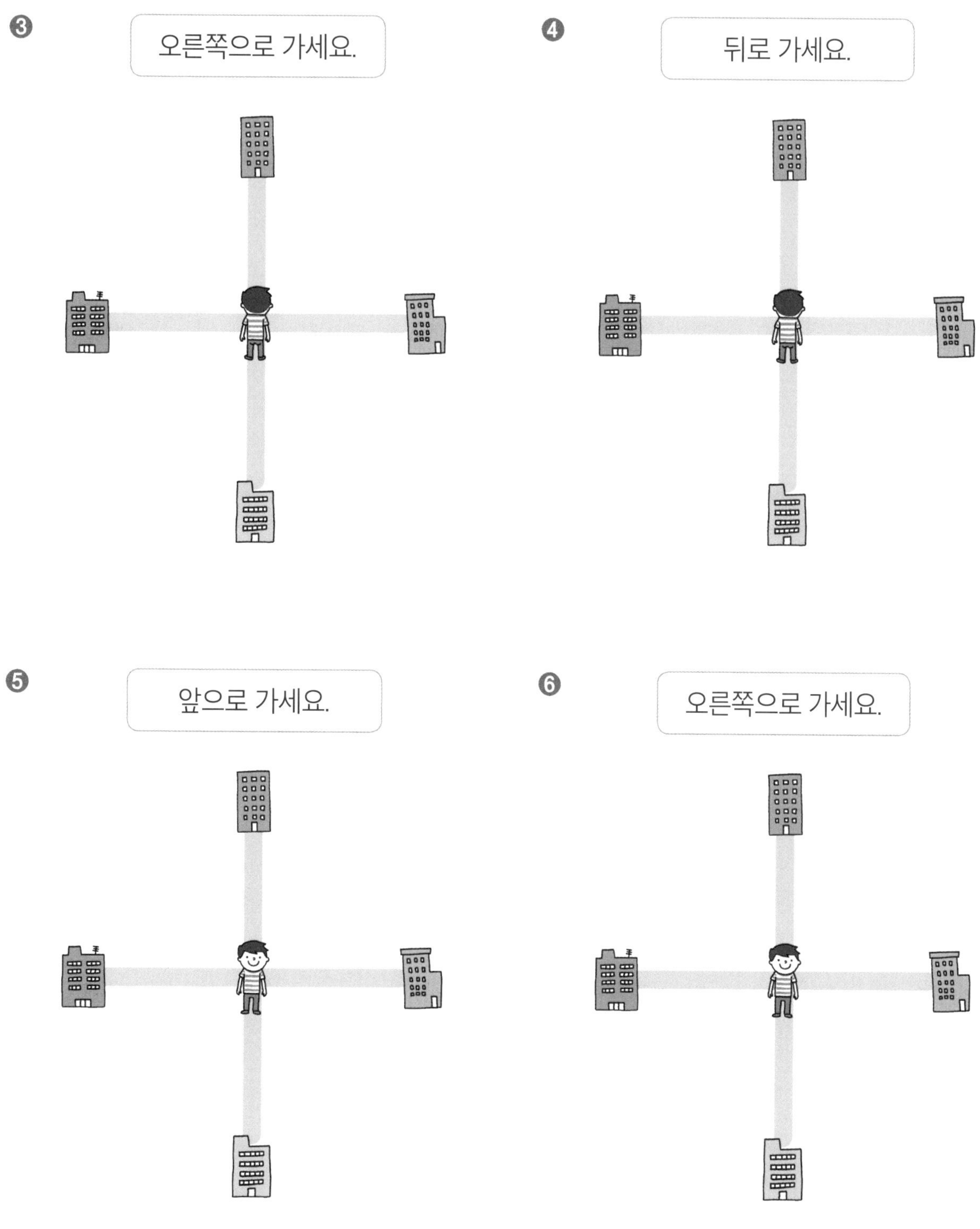

❸
오른쪽으로 가세요.
❹
뒤로 가세요.
❺
앞으로 가세요.
❻
오른쪽으로 가세요.

DAY 2 방향으로 이동 (2)

✎ 주어진 방향으로 갔을 때 마지막으로 도착하는 곳에 ◯표 하세요.

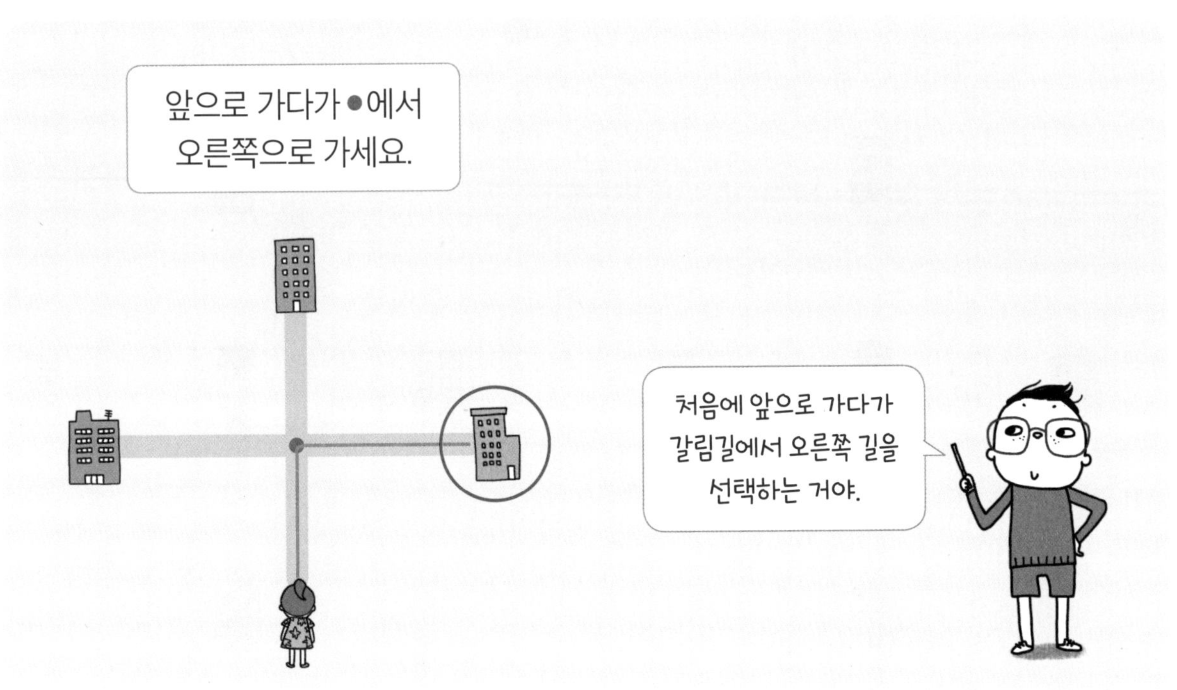

앞으로 가다가 ●에서
오른쪽으로 가세요.
처음에 앞으로 가다가
갈림길에서 오른쪽 길을
선택하는 거야.

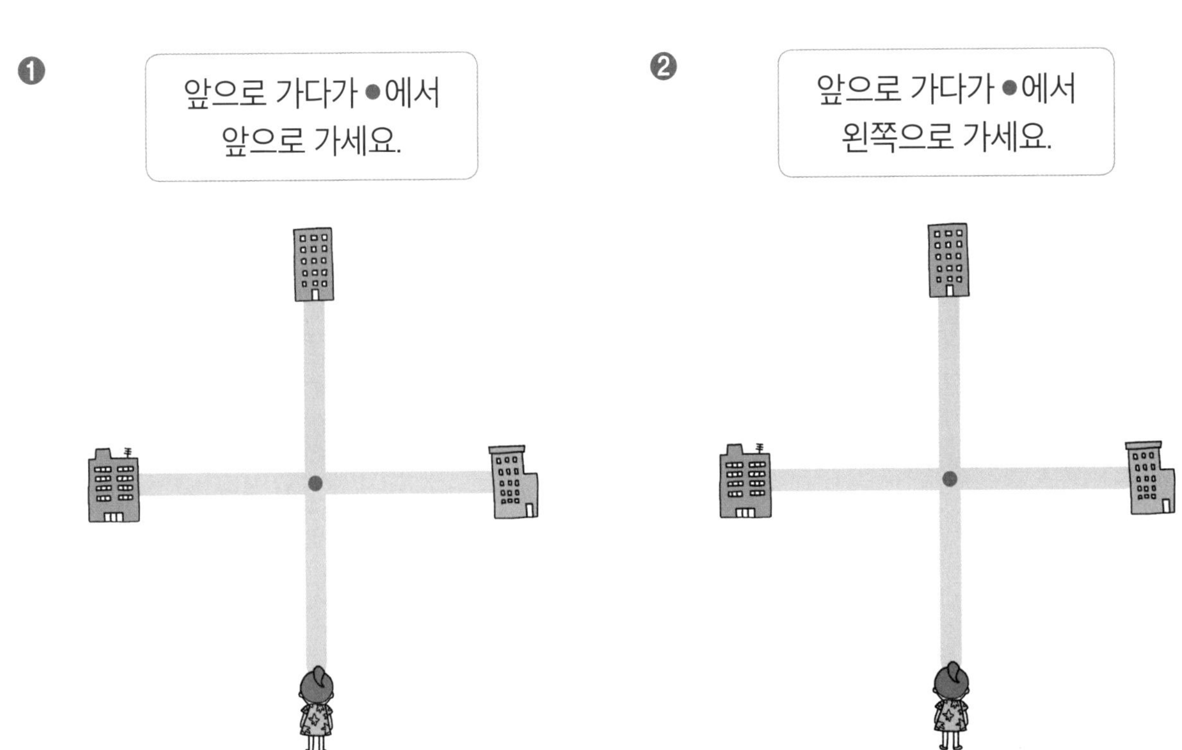

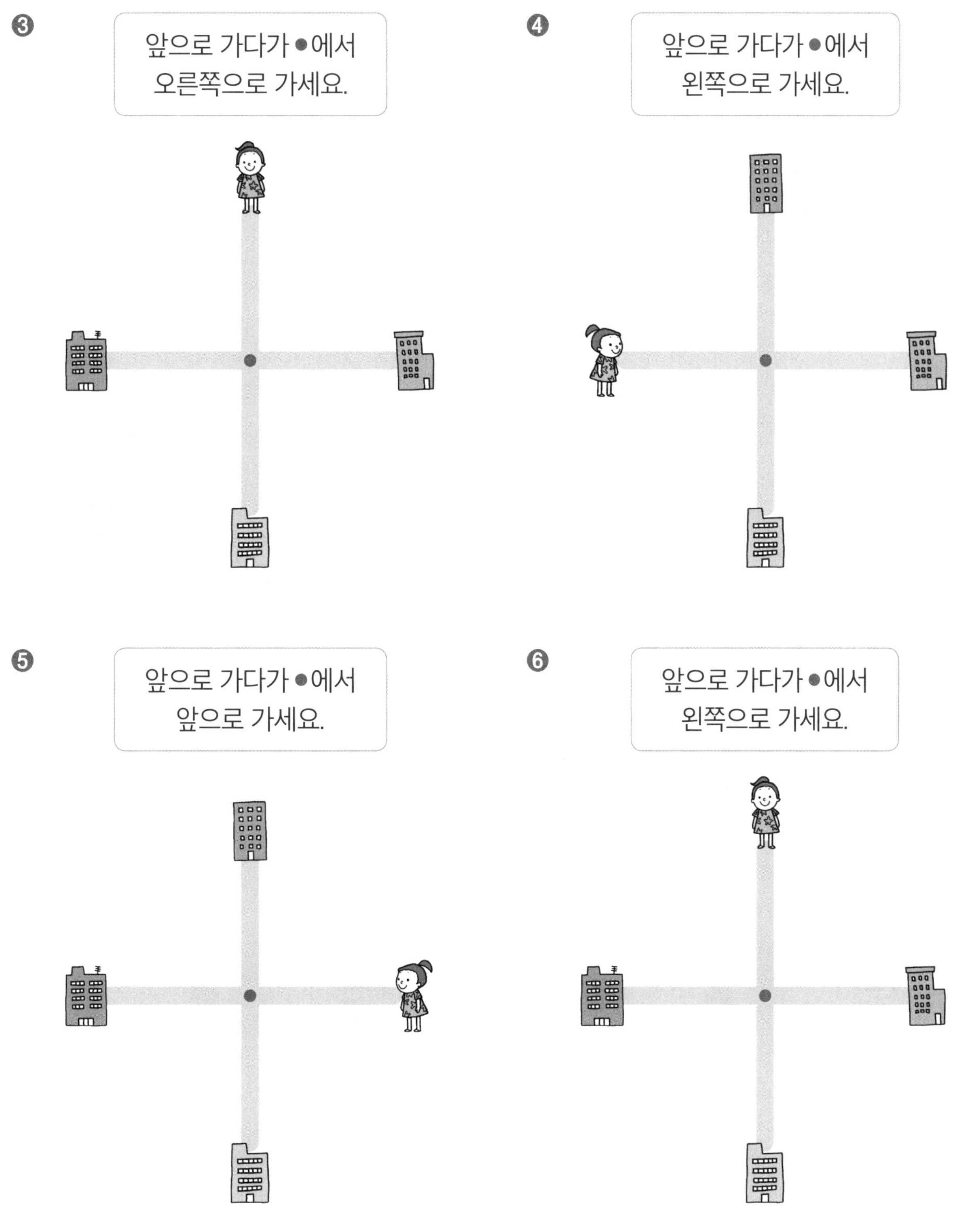
❸
앞으로 가다가 ●에서
오른쪽으로 가세요.
❹
앞으로 가다가 ●에서
왼쪽으로 가세요.
❺
앞으로 가다가 ●에서
앞으로 가세요.
❻
앞으로 가다가 ●에서
왼쪽으로 가세요.

DAY 3 갈림길 선택 (1)

✎ 앞으로 가다가 갈림길이 나오면 주어진 방향으로 바꿉니다. 가는 길을 선으로 나타내고 도착하는 곳에 ◯표 하세요.

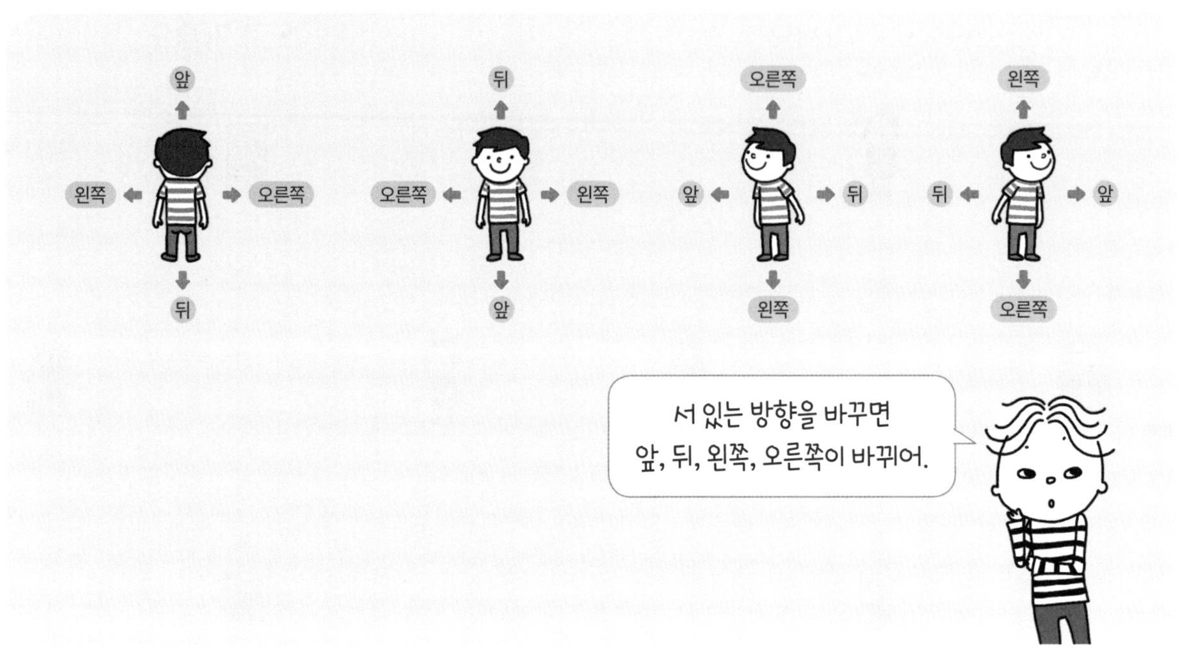

❶ 방향 앞 ➡ 왼쪽

❷ 방향 앞 ➡ 오른쪽

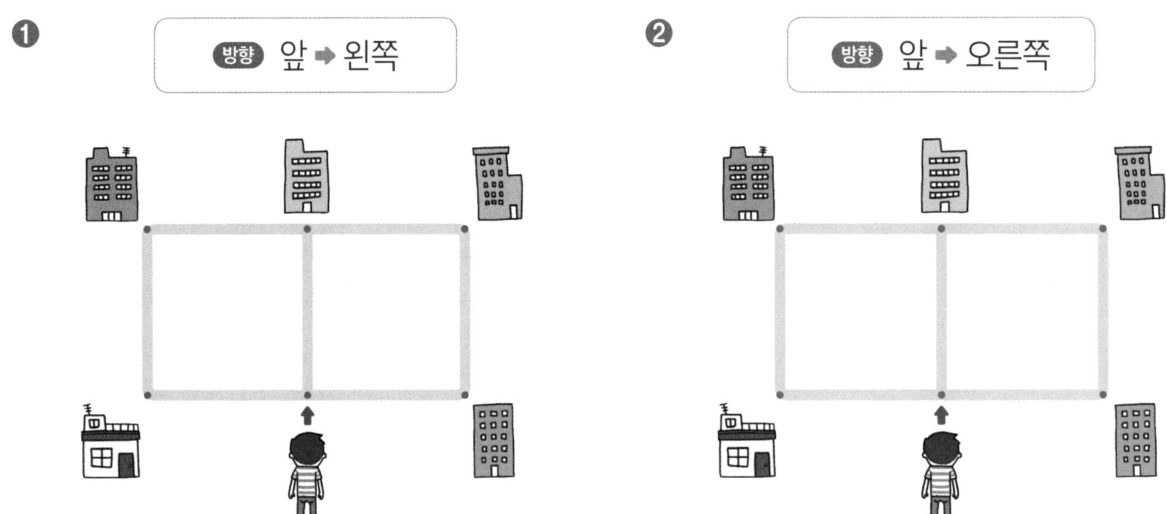

❸ 방향 앞 ➡ 왼쪽

❹ 방향 앞 ➡ 오른쪽

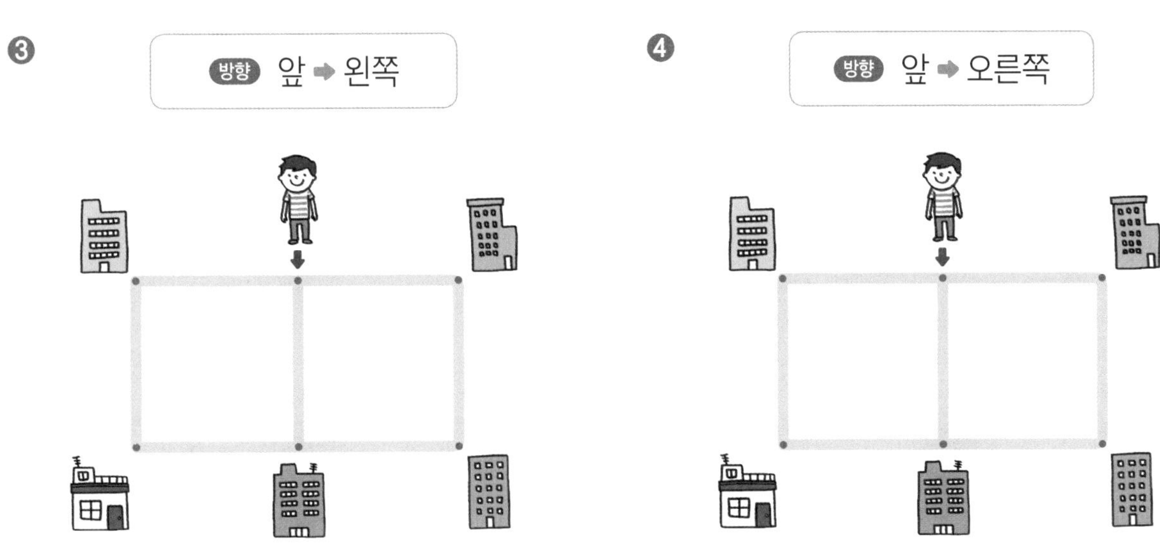

❺ 방향 앞 ➡ 오른쪽

❻ 방향 앞 ➡ 오른쪽

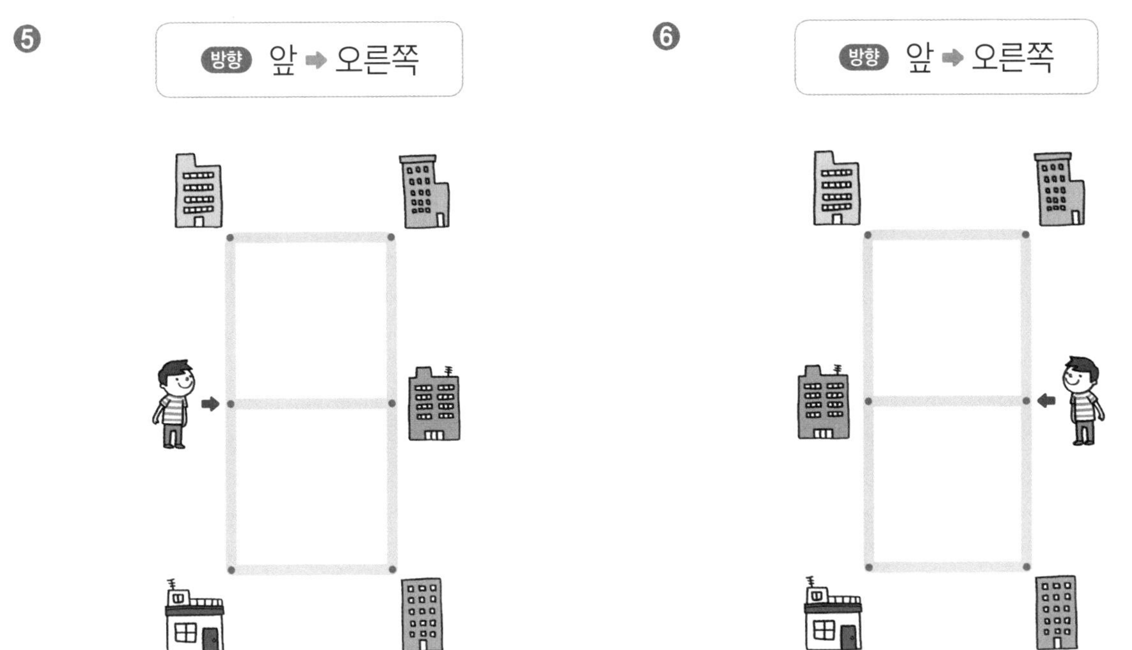

갈림길 선택 (2)

✎ 앞으로 가다가 갈림길이 나오면 주어진 방향으로 바꿉니다. 가는 길을 선으로 나타내고 도착하는 곳에 ○표 하세요.

방향 오른쪽 ➡ 왼쪽

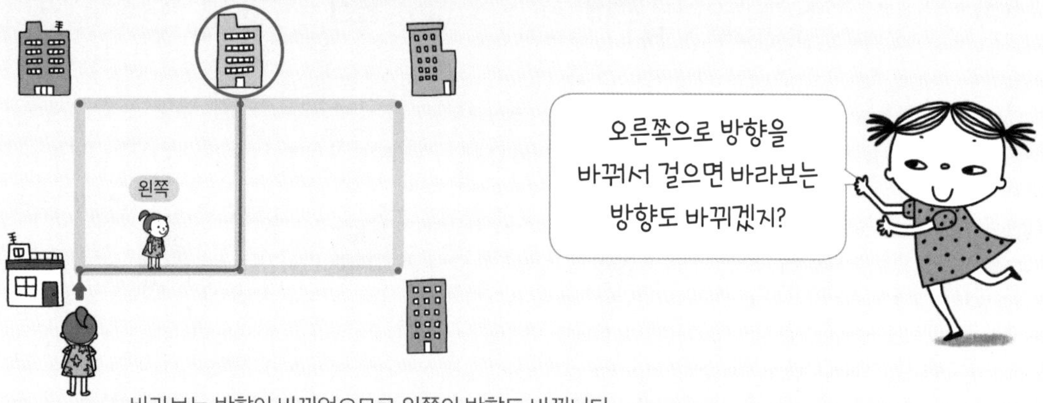

바라보는 방향이 바뀌었으므로 왼쪽의 방향도 바뀝니다.

❶ 방향 왼쪽 ➡ 오른쪽

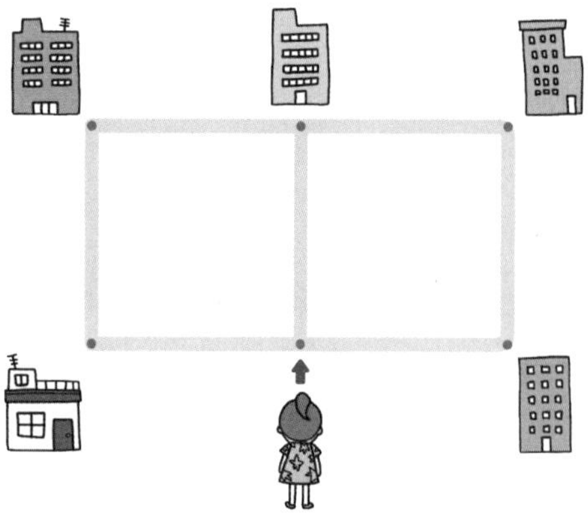

❷ 방향 왼쪽 ➡ 앞

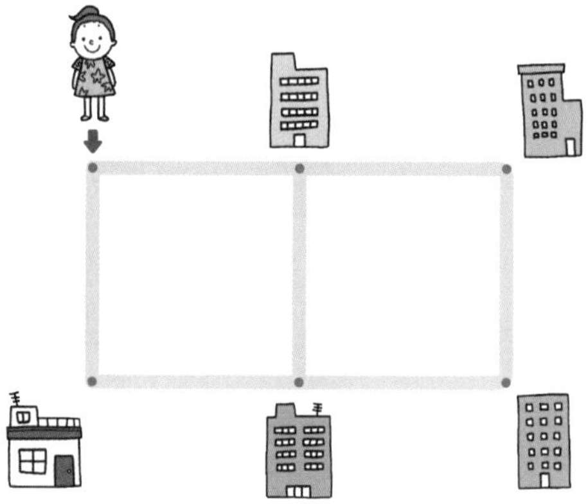

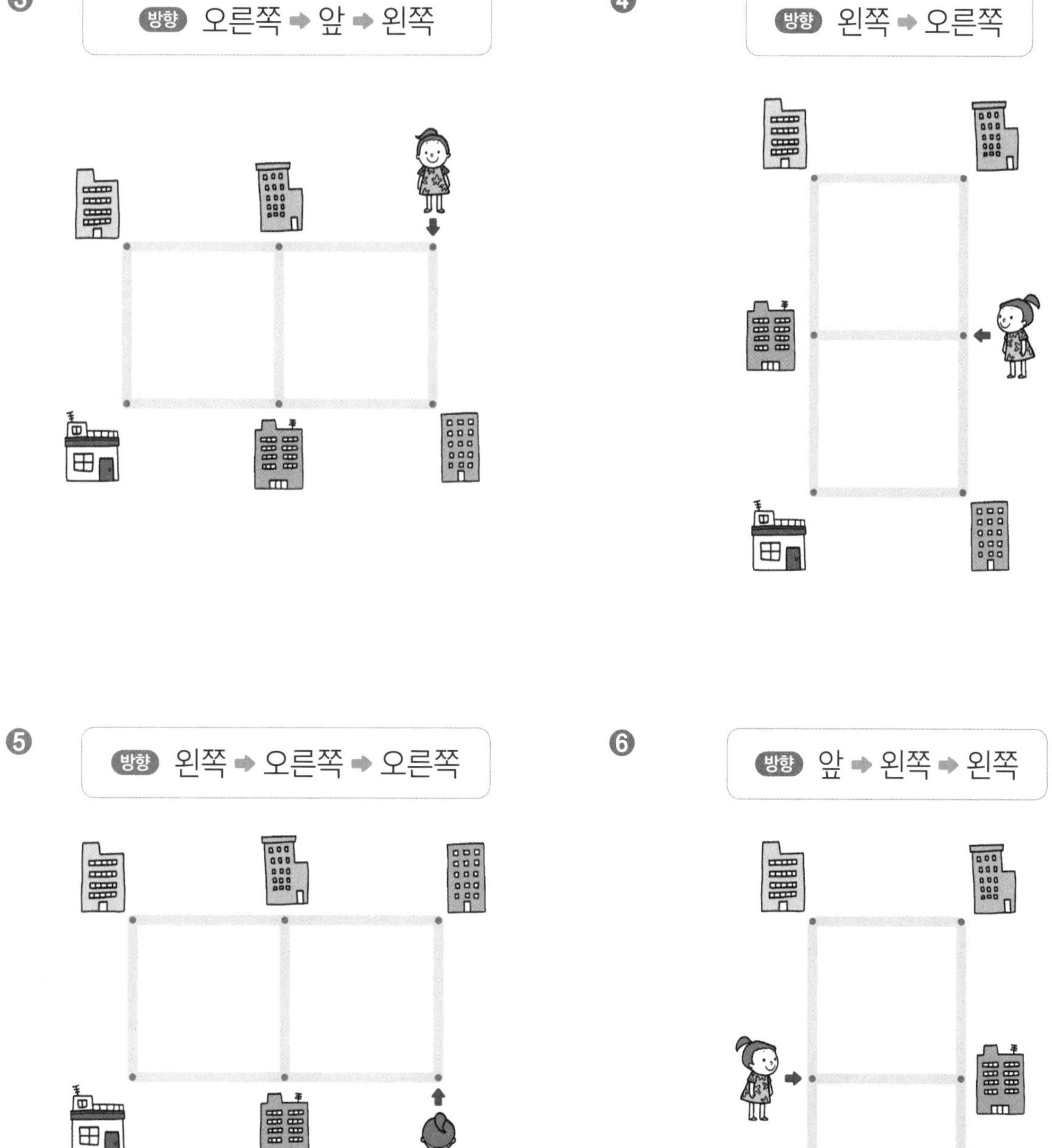
③
방향 오른쪽 ➡ 앞 ➡ 왼쪽
④
방향 왼쪽 ➡ 오른쪽
⑤
방향 왼쪽 ➡ 오른쪽 ➡ 오른쪽
⑥
방향 앞 ➡ 왼쪽 ➡ 왼쪽

DAY 5 로봇 조종

● 지점에서 다음 순서로 버튼을 눌렀을 때 도착하는 곳에 ○표 하세요.

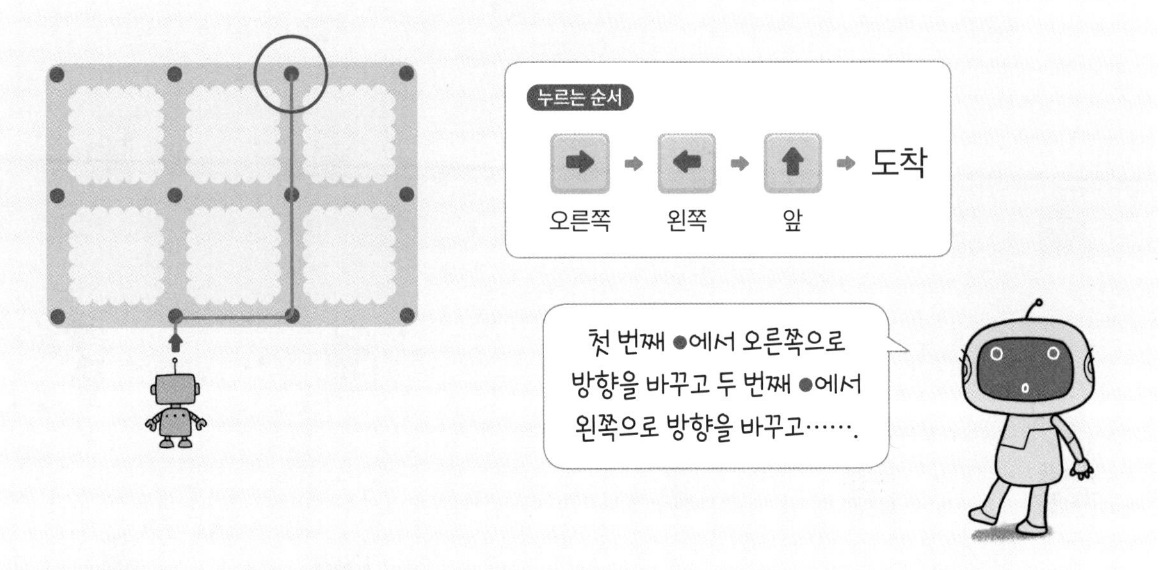

❶

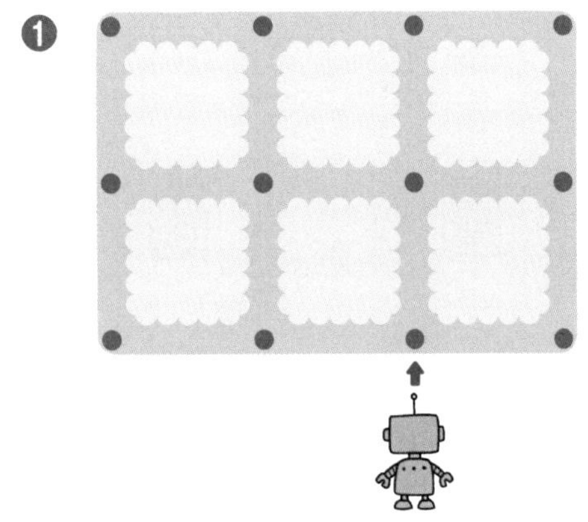

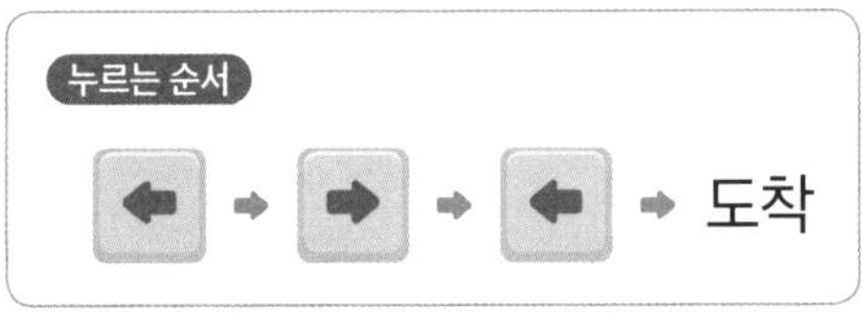

❷

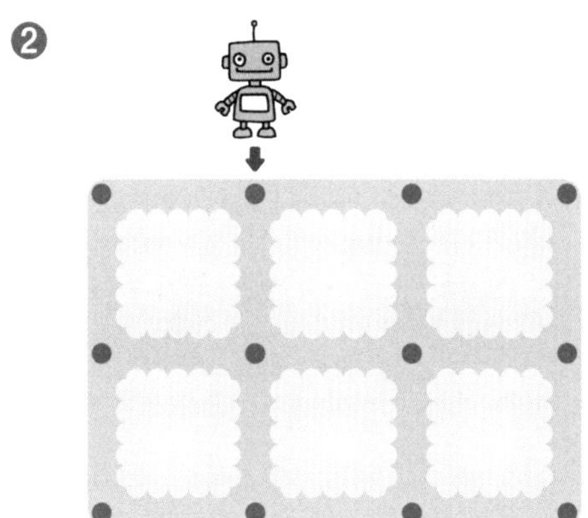

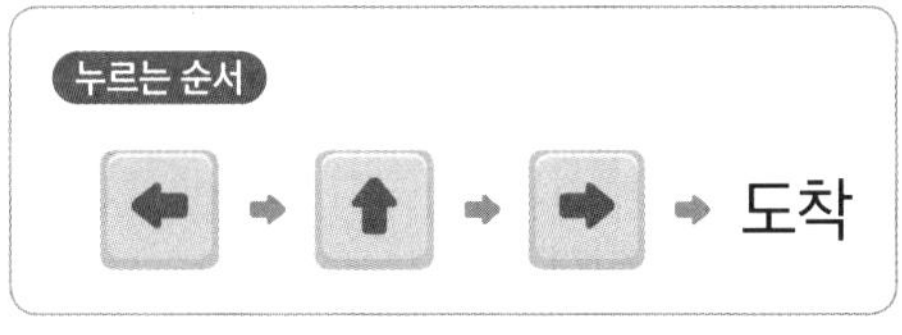

❸

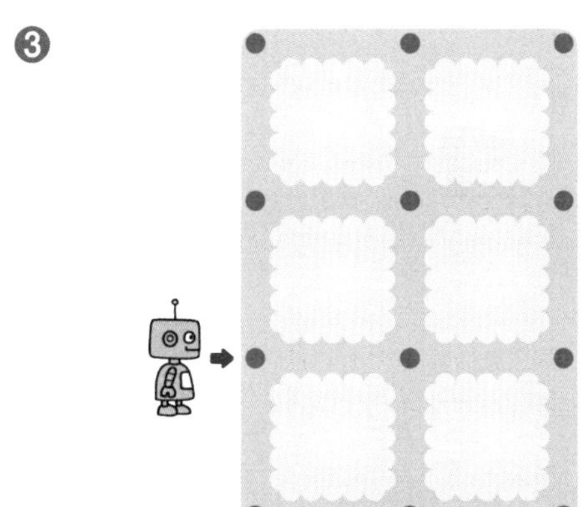

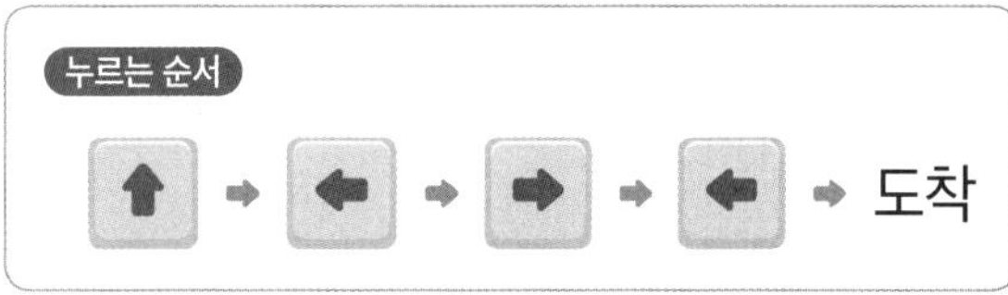

❹

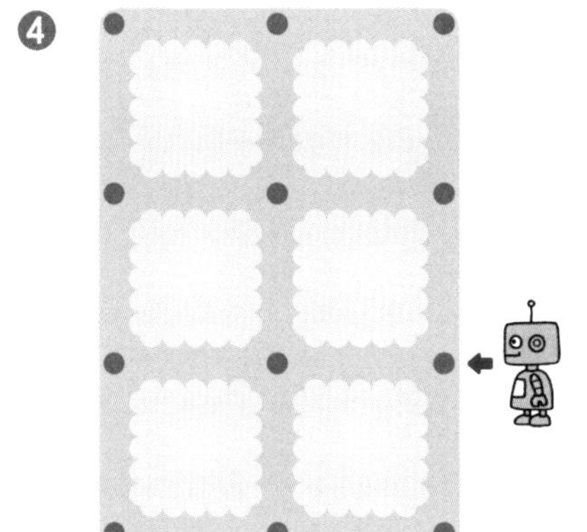

확인학습

앞으로 가다가 갈림길이 나오면 주어진 방향으로 바꿉니다. 가는 길을 선으로 나타내고 도착하는 곳에 ◯표 하세요.

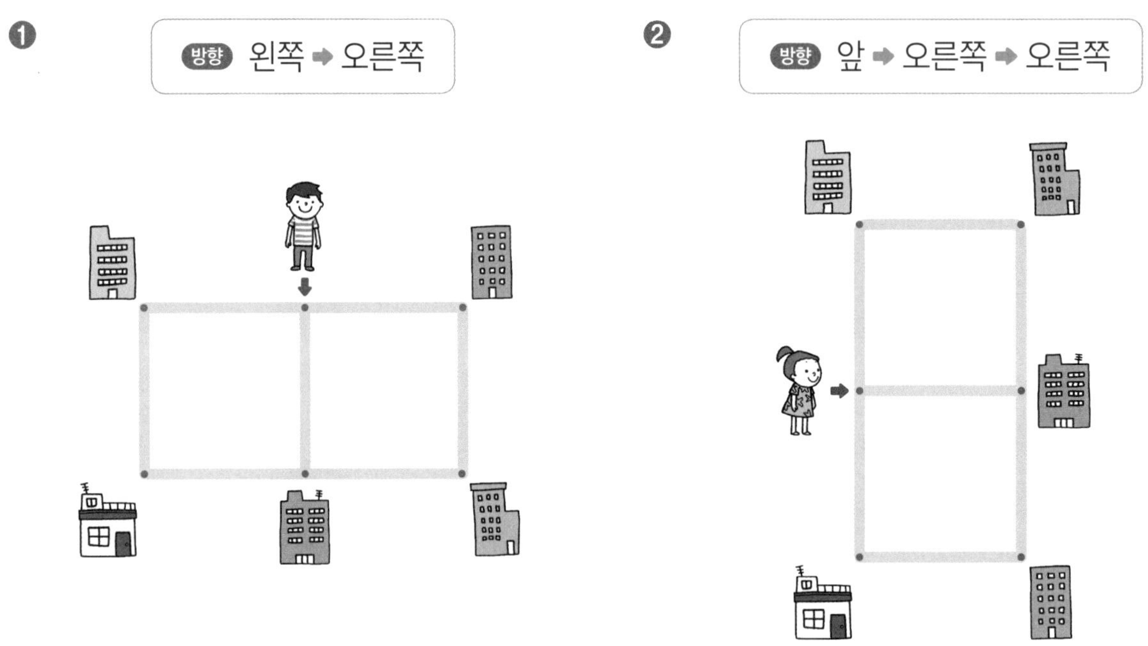

●지점에서 다음 순서로 버튼을 눌렀을 때 도착하는 곳에 ◯표 하세요.

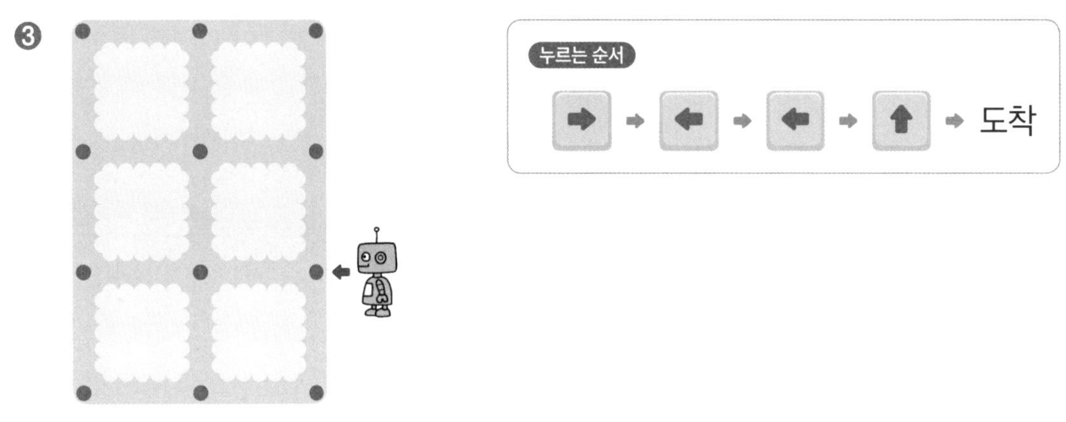

2
주차

가장 짧은 길

가장 짧은 길 (1)

가장 짧은 길을 따라 선을 그어 보세요.

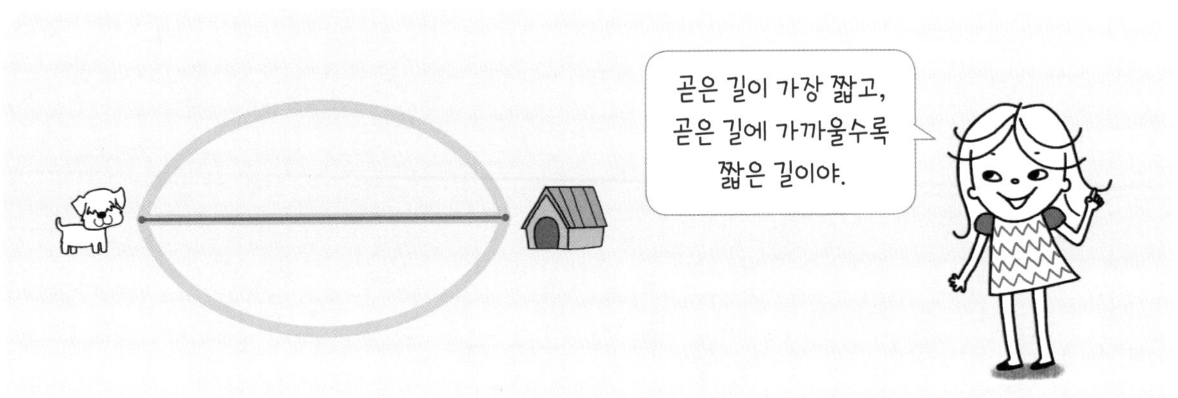

곧은 길이 가장 짧고,
곧은 길에 가까울수록
짧은 길이야.

❶

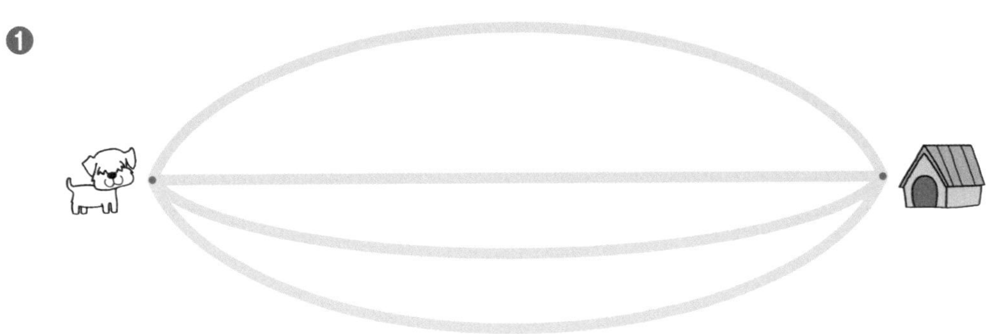

❷

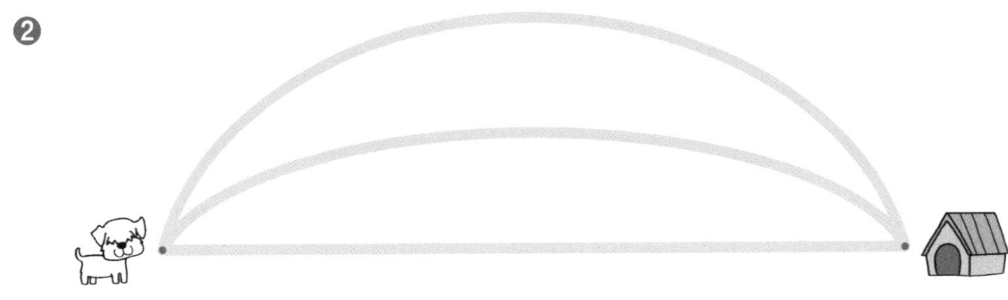

❸

❹

❺

❻

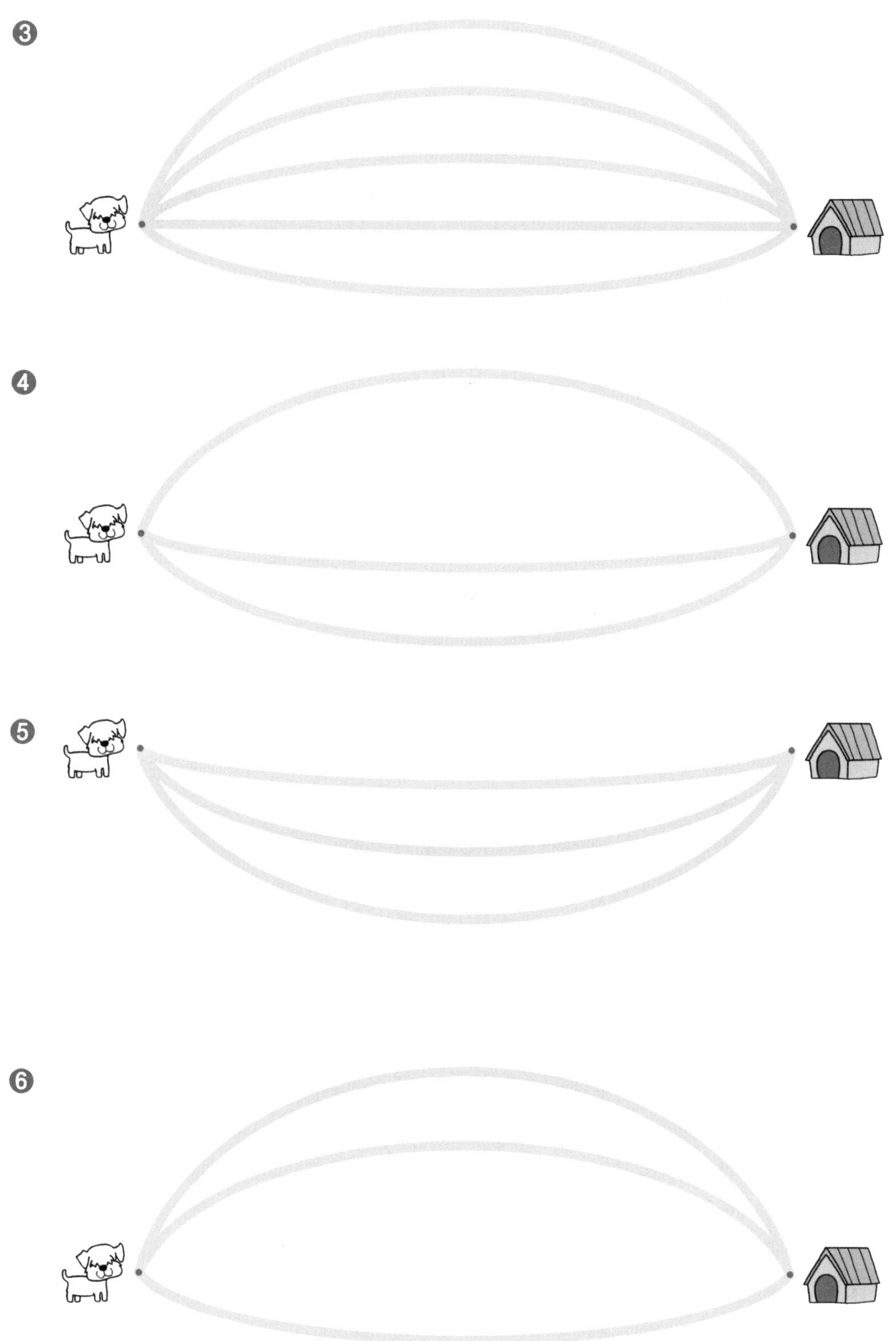

가장 짧은 길 (2)

가장 짧은 길을 따라 선을 그어 보세요.

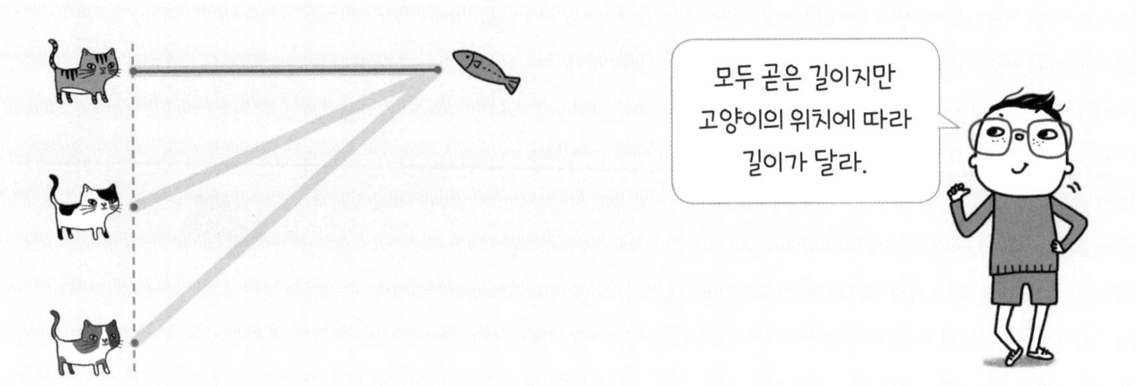

모두 곧은 길이지만
고양이의 위치에 따라
길이가 달라.

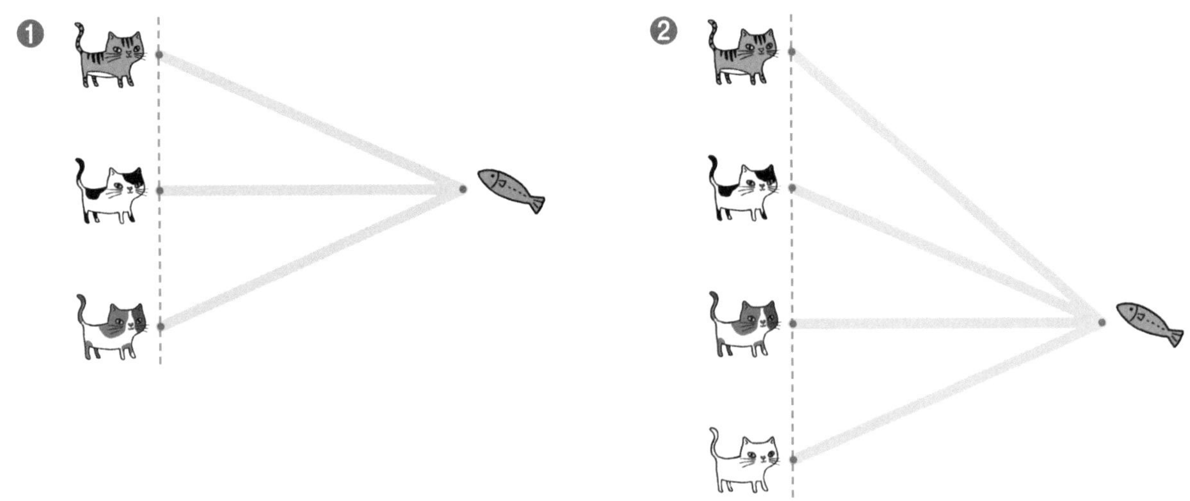

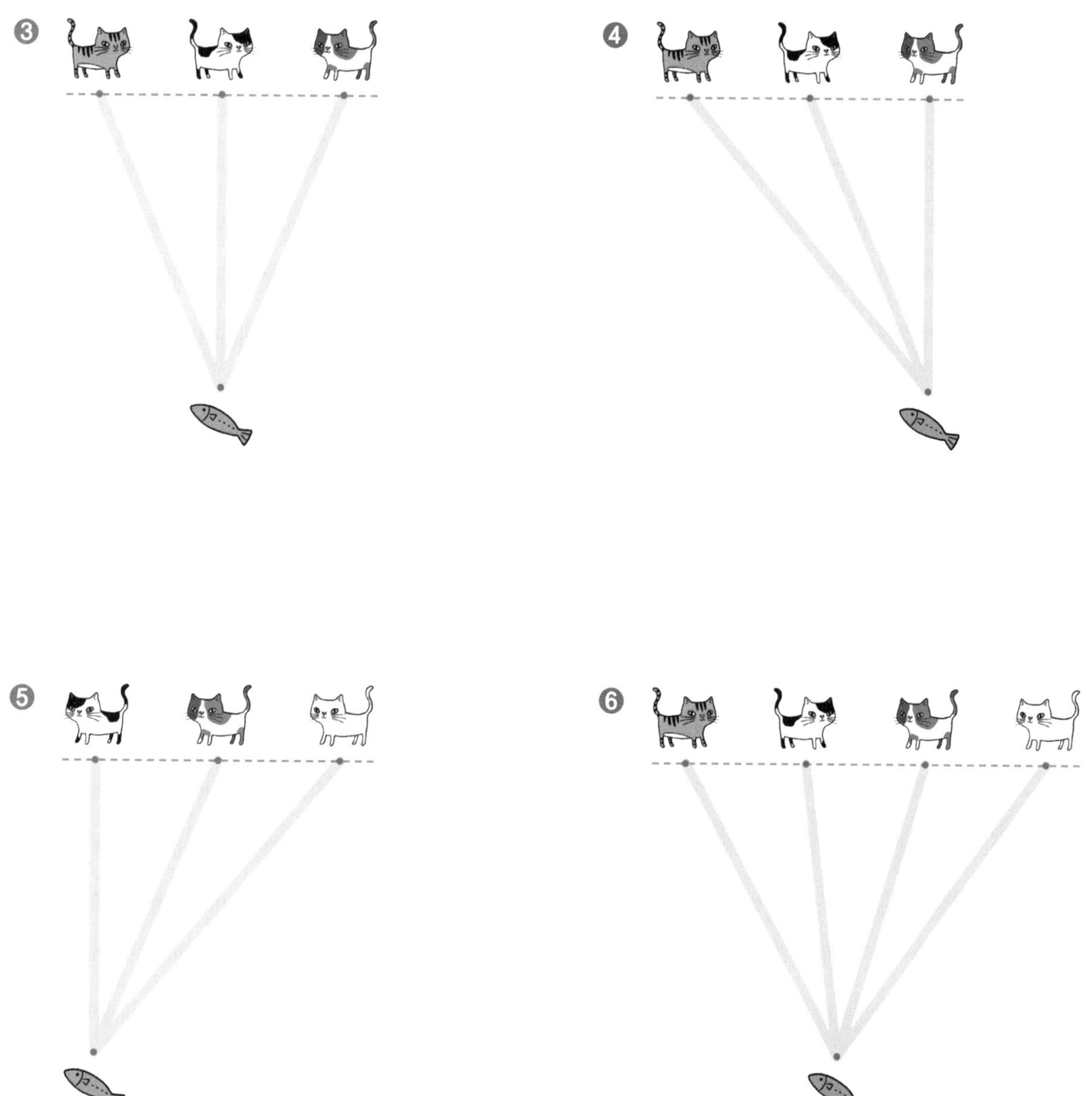
❸
❹
❺
❻

DAY 3 더 짧은 길 (1)

더 짧은 길에 ○표 하세요.

(○) 3칸

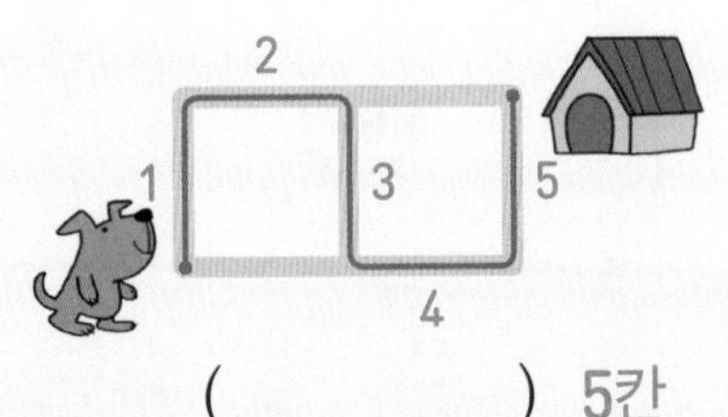

(　　　) 5칸

❶

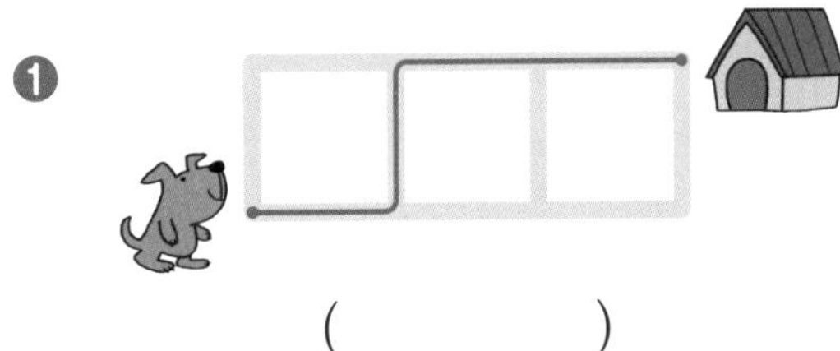

(　　　)

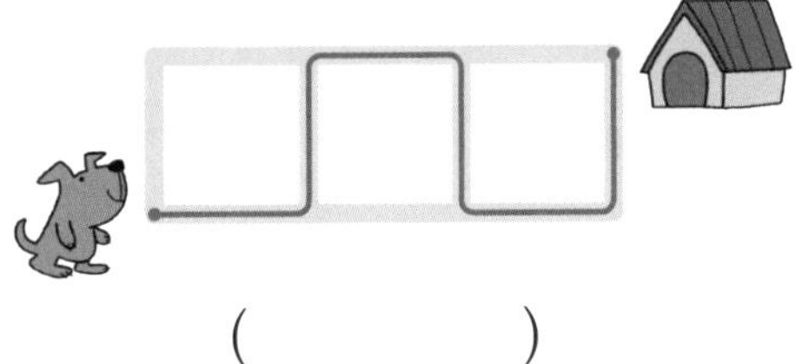

(　　　)

❷

(　　　)

(　　　)

❸

(　　　　)

(　　　　)

❹

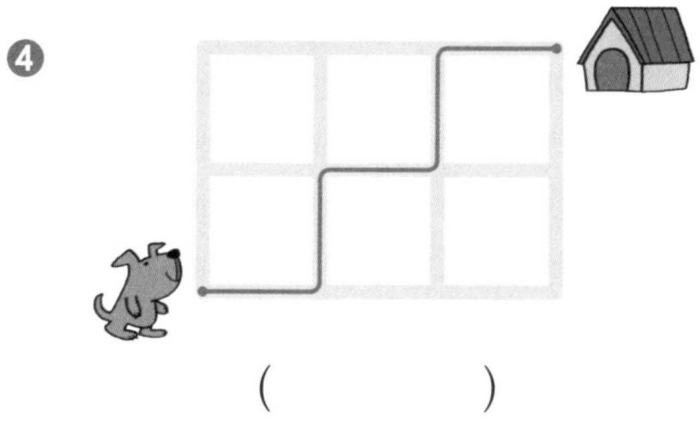

(　　　　)

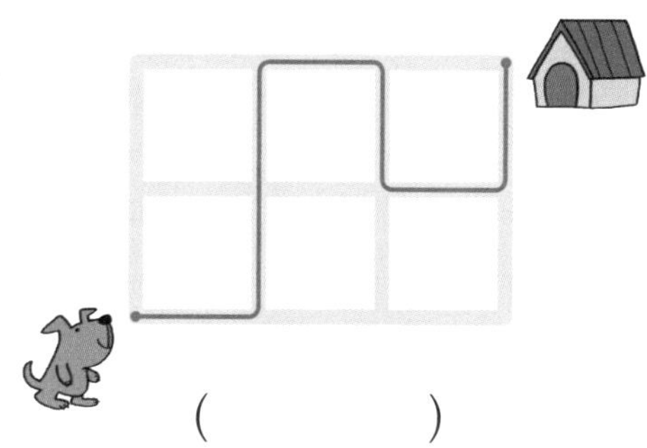

(　　　　)

❺

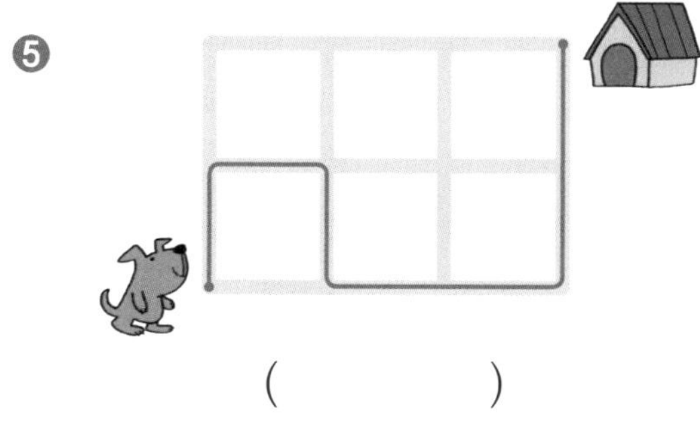

(　　　　)

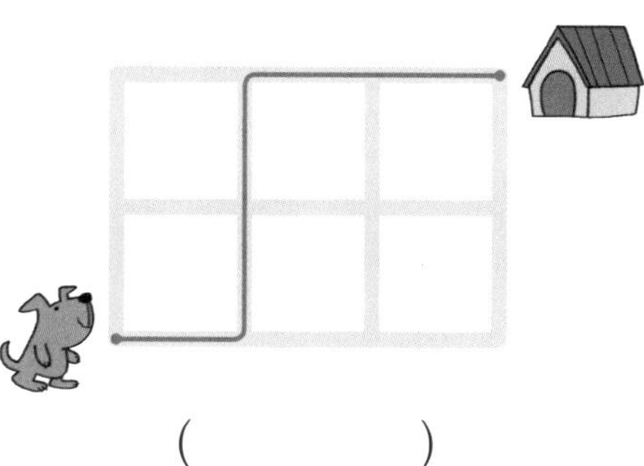

(　　　　)

DAY 4

더 짧은 길 (2)

더 짧은 길에 ○표 하세요.

( ) 6칸 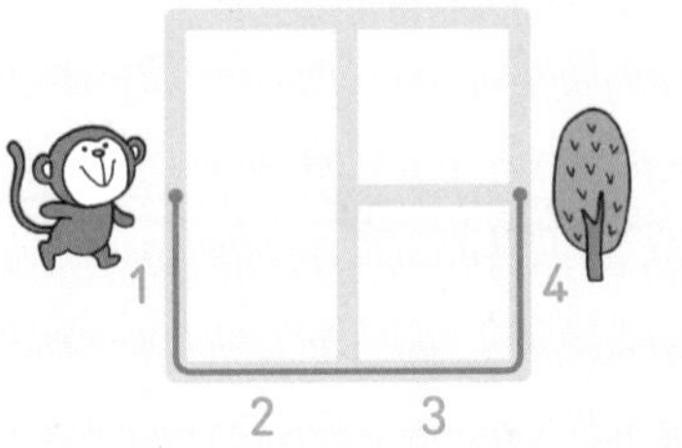　　(○) 4칸

몇 칸인지 세어서 비교해 봐.

❶

( )　　( )

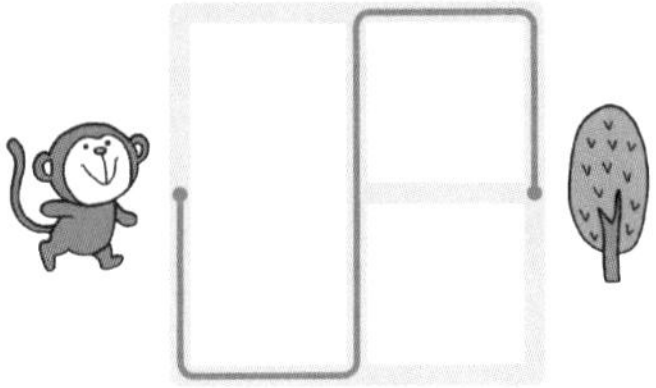

❷

( )　　( )

❸

(　　　　　)

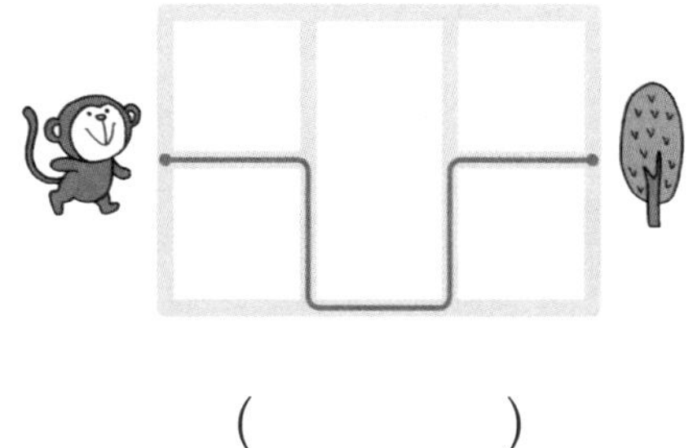

(　　　　　)

❹

(　　　　　)

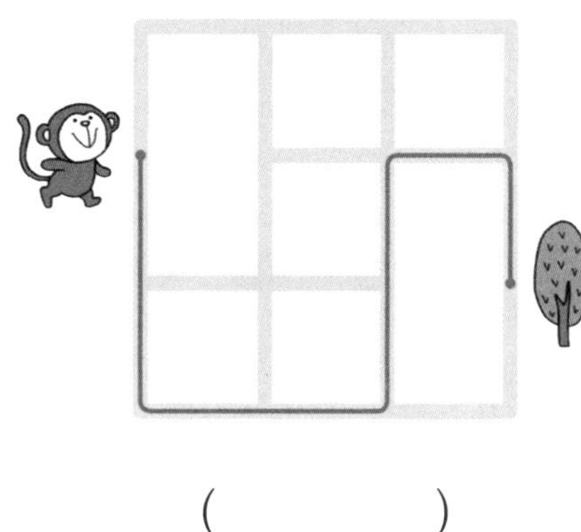

(　　　　　)

❺

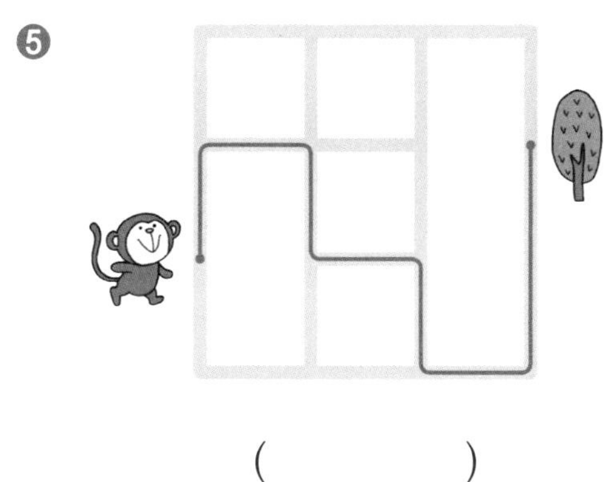

(　　　　　)

(　　　　　)

지름길

더 짧은 길에 ○표 하세요.

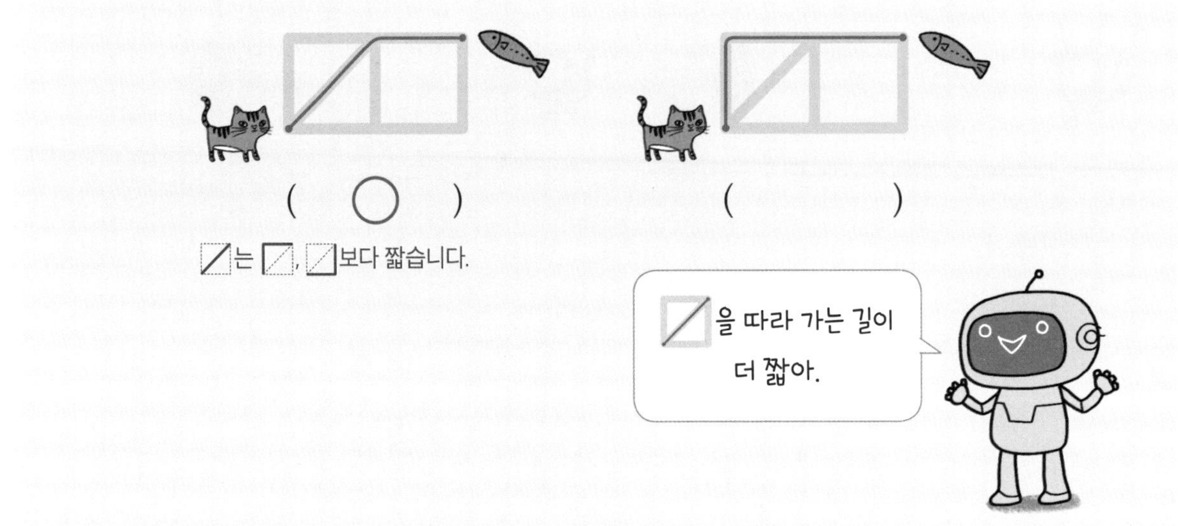

(○)
( )
는 , 보다 짧습니다.
을 따라 가는 길이 더 짧아.

❶

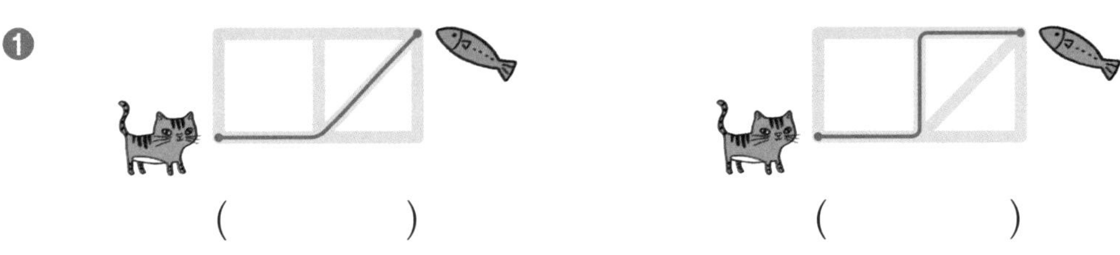

❷

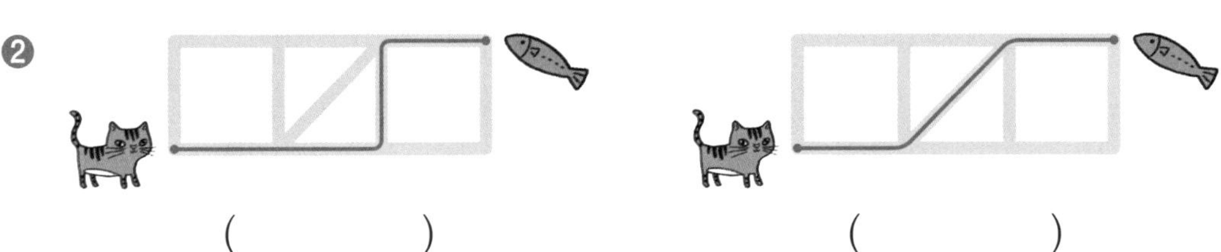

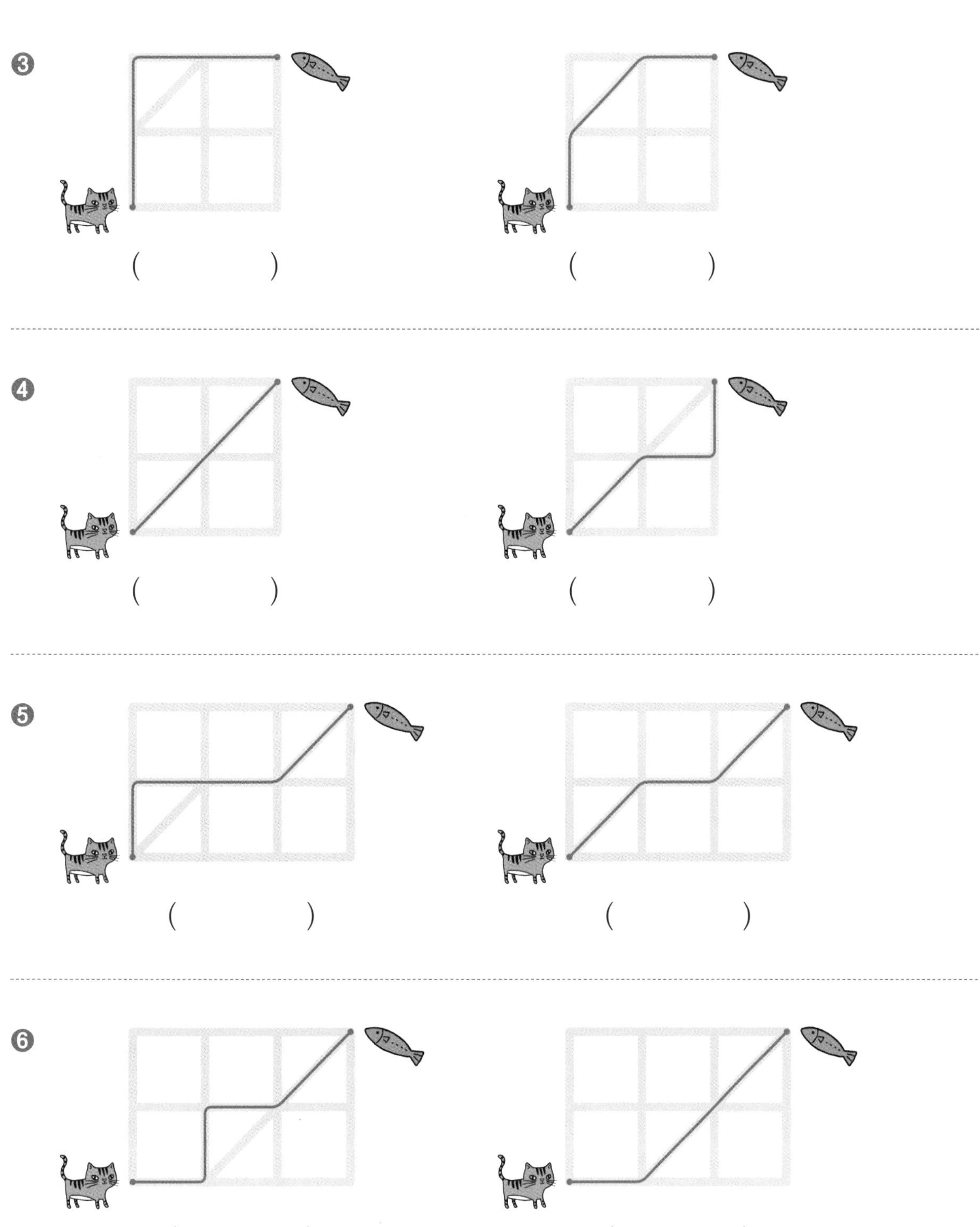

❸ (　　　) (　　　)

❹ (　　　) (　　　)

❺ (　　　) (　　　)

❻ (　　　) (　　　)

확인학습

둘 중 더 짧은 길에 ◯표 하세요.

❶

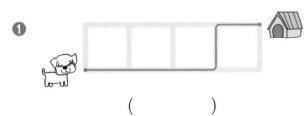

(   )

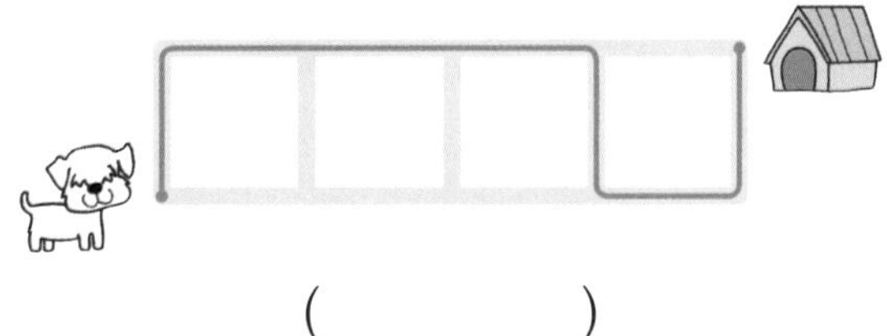

(   )

❷

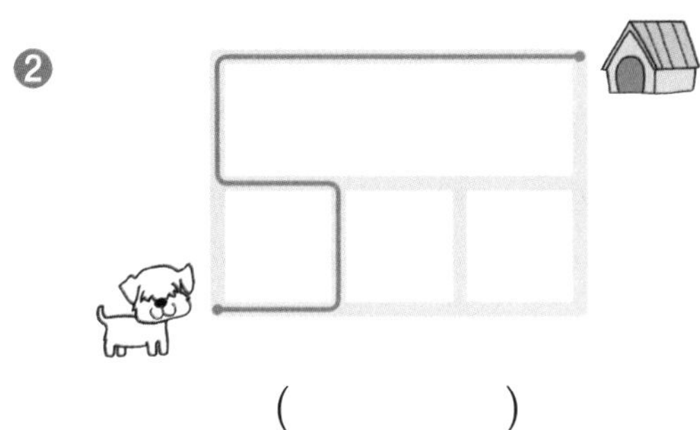

(   )

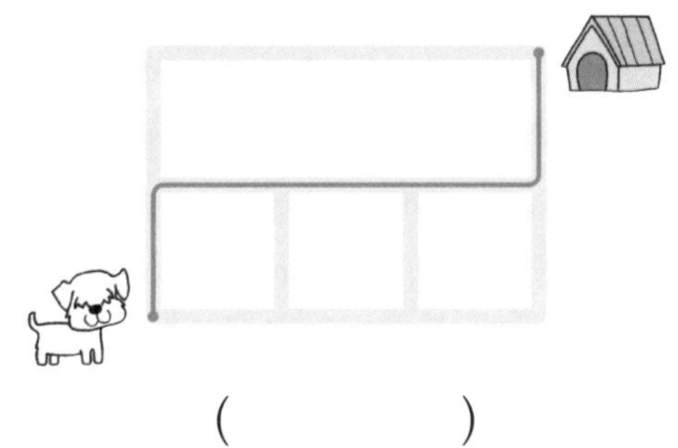

(   )

❸

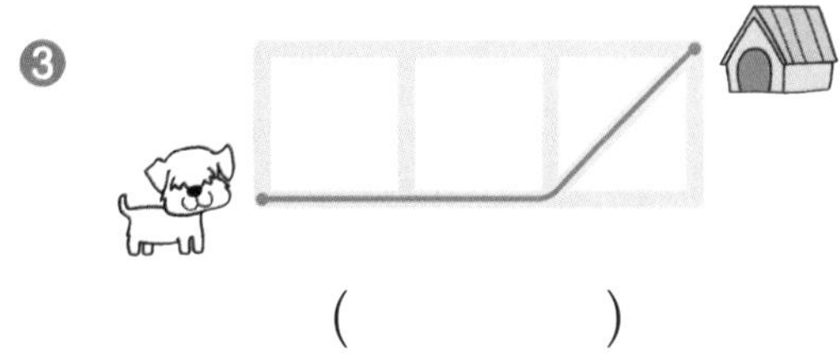

(   )

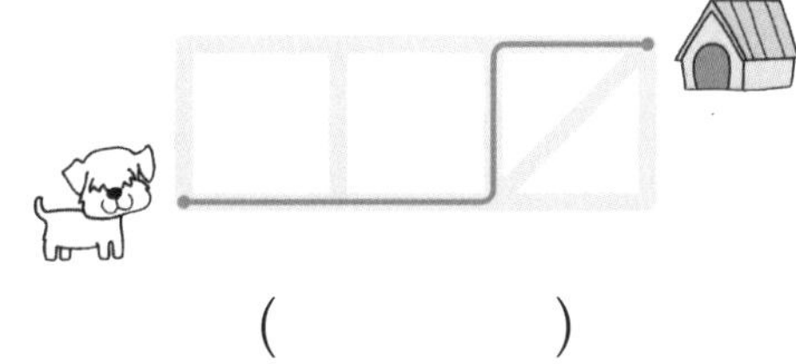

(   )

❹

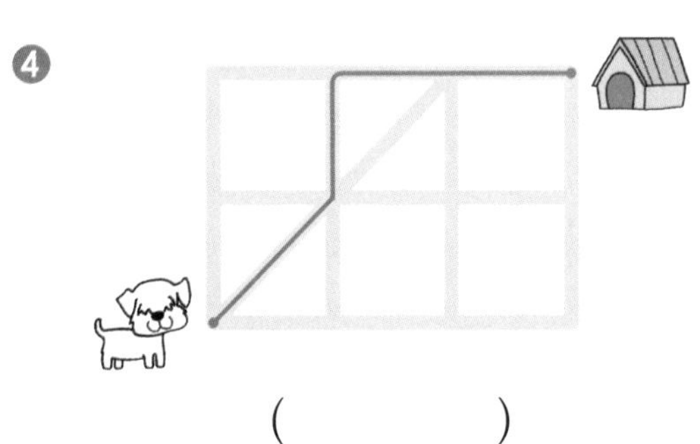

(   )

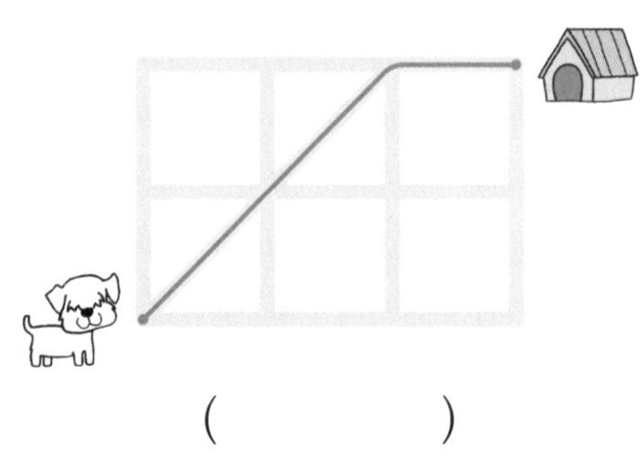

(   )

3
주차

얼마입니까?

DAY 1

얼마입니까? (1)

모두 얼마입니까?

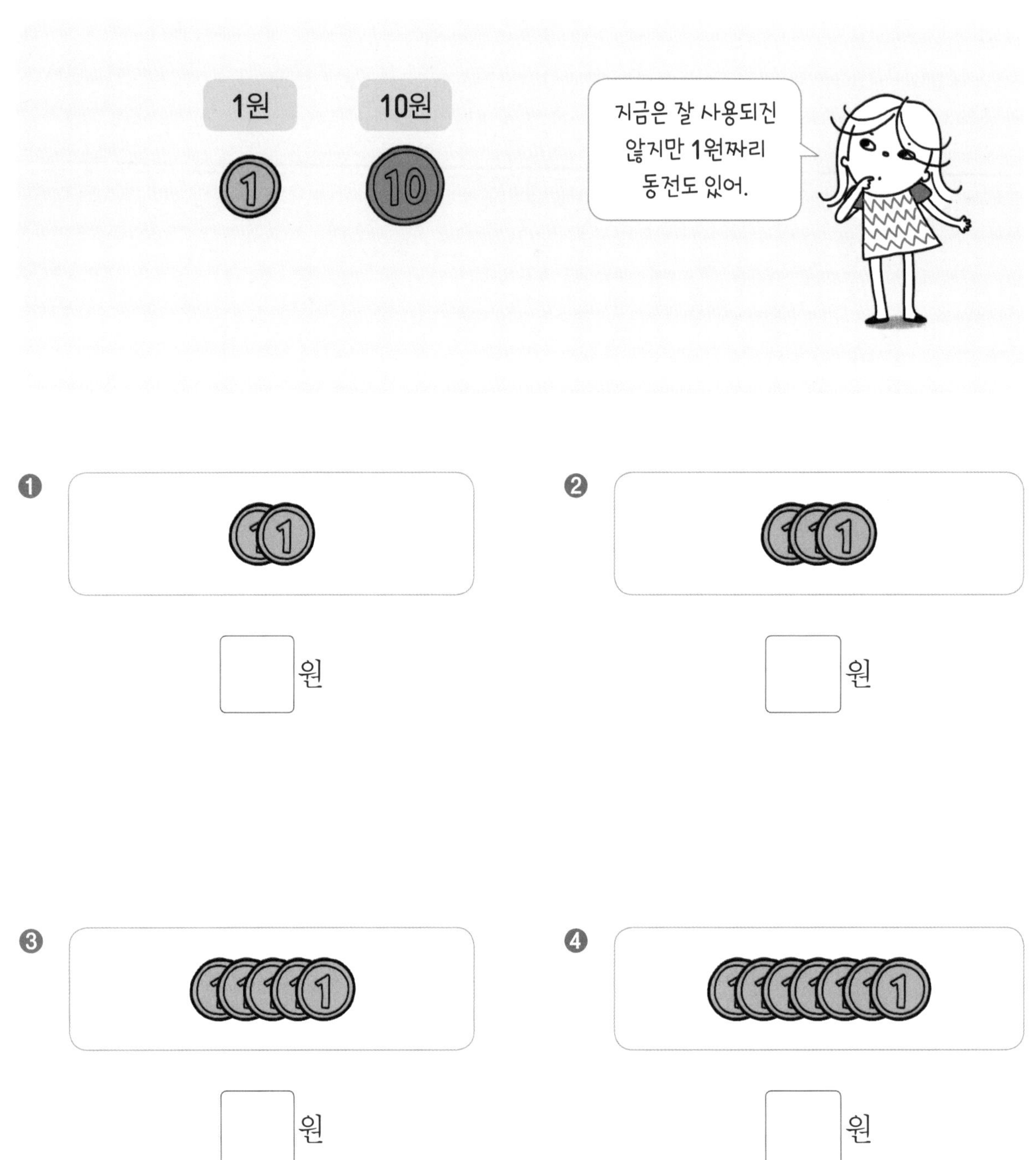

❶ □원

❷ □원

❸ □원

❹ □원

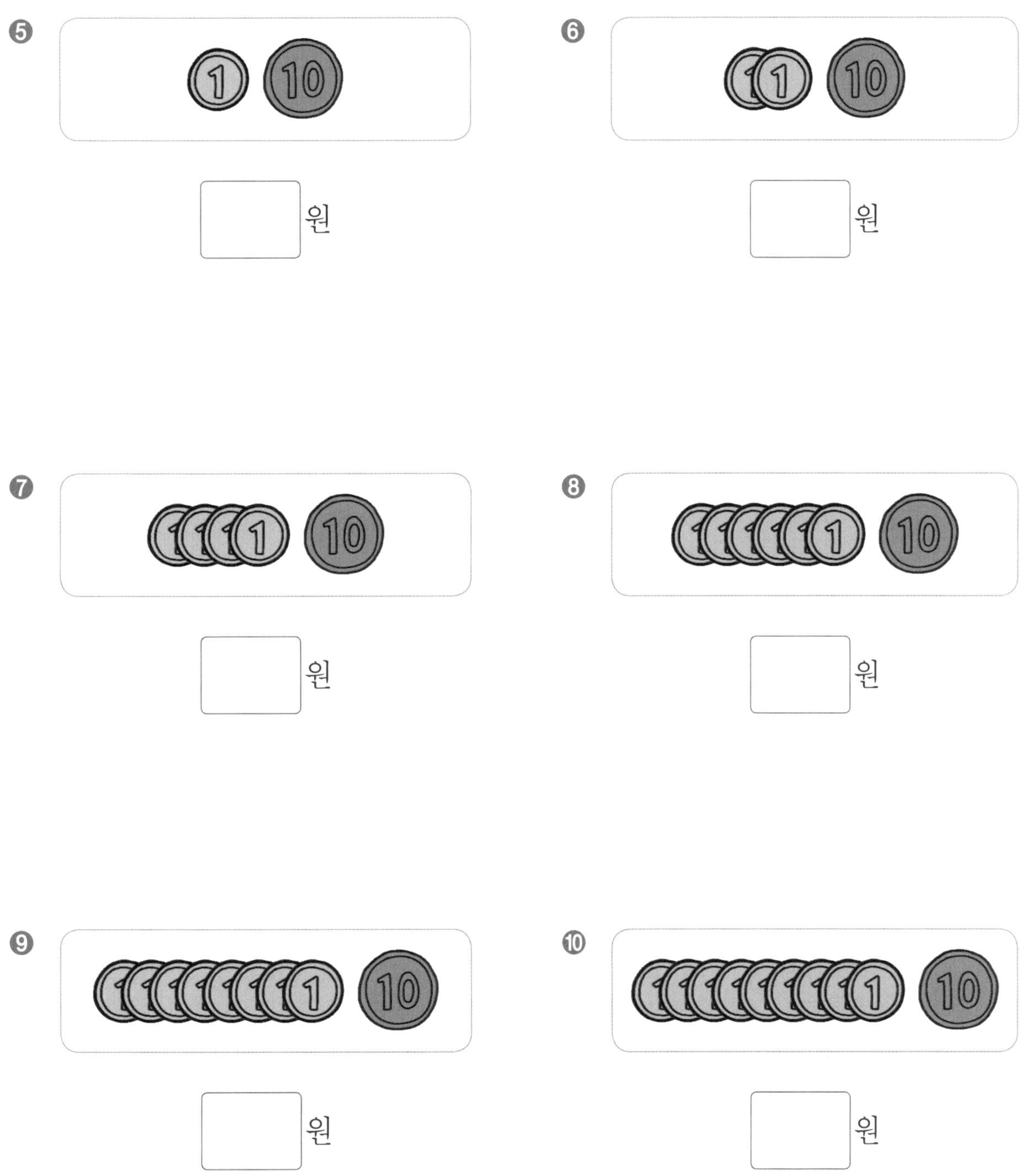
⑤
1
10
원
⑥
1
10
원
⑦
1
10
원
⑧
1
10
원
⑨
1
10
원
⑩
1
10
원

DAY 2 얼마입니까? (2)

모두 얼마입니까?

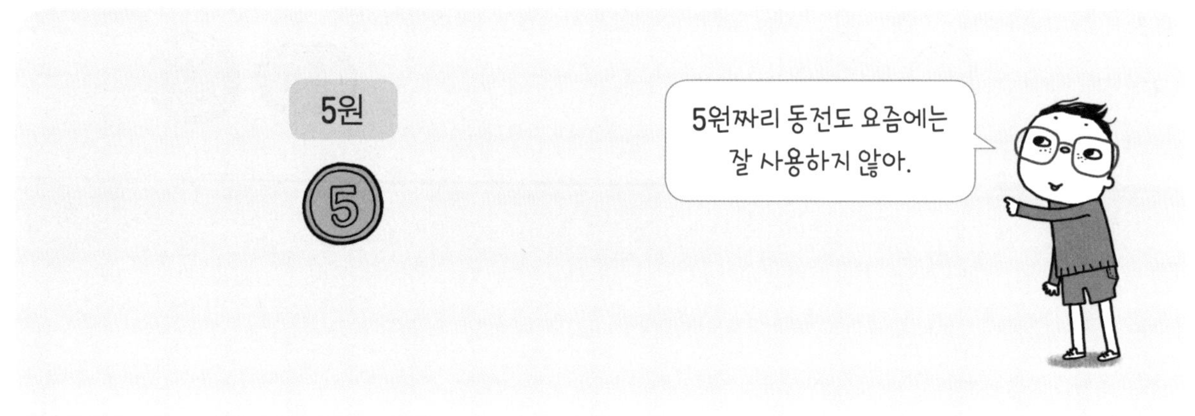

5원
5
5원짜리 동전도 요즘에는
잘 사용하지 않아.

❶ 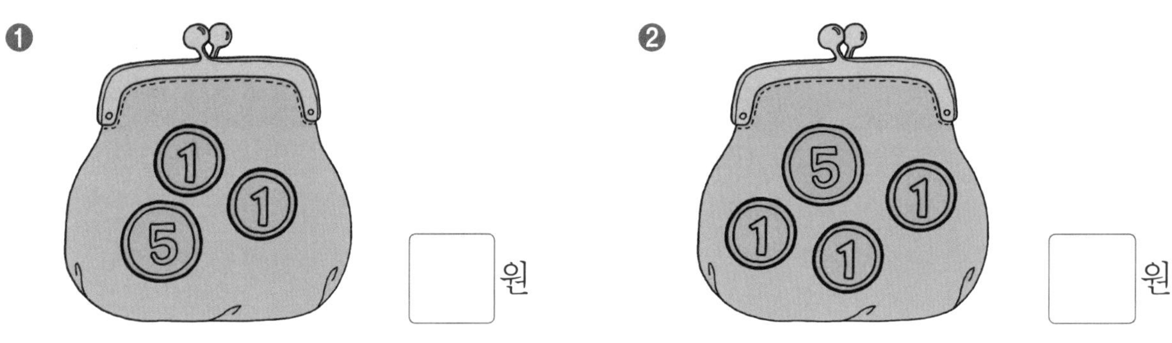

원

❷

원

❸ 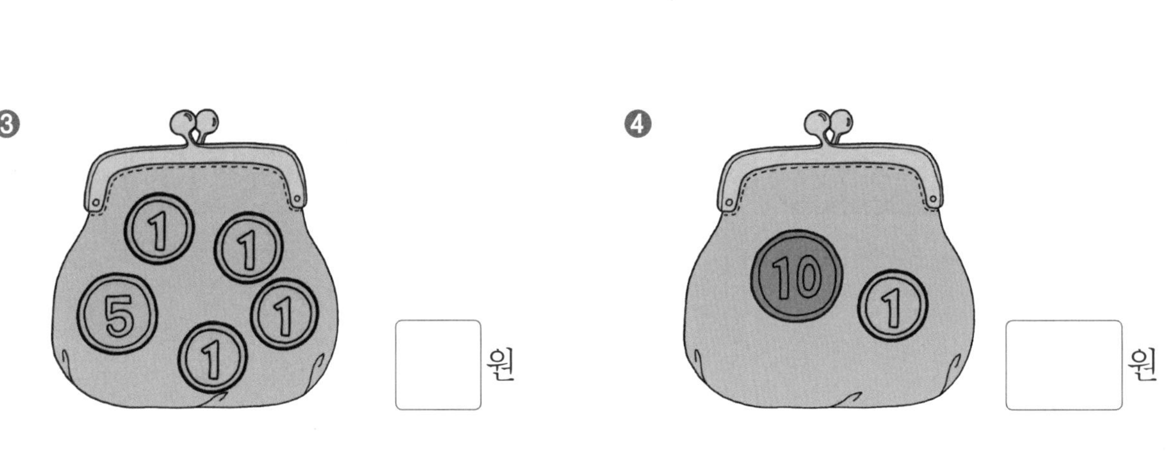

원

❹

원

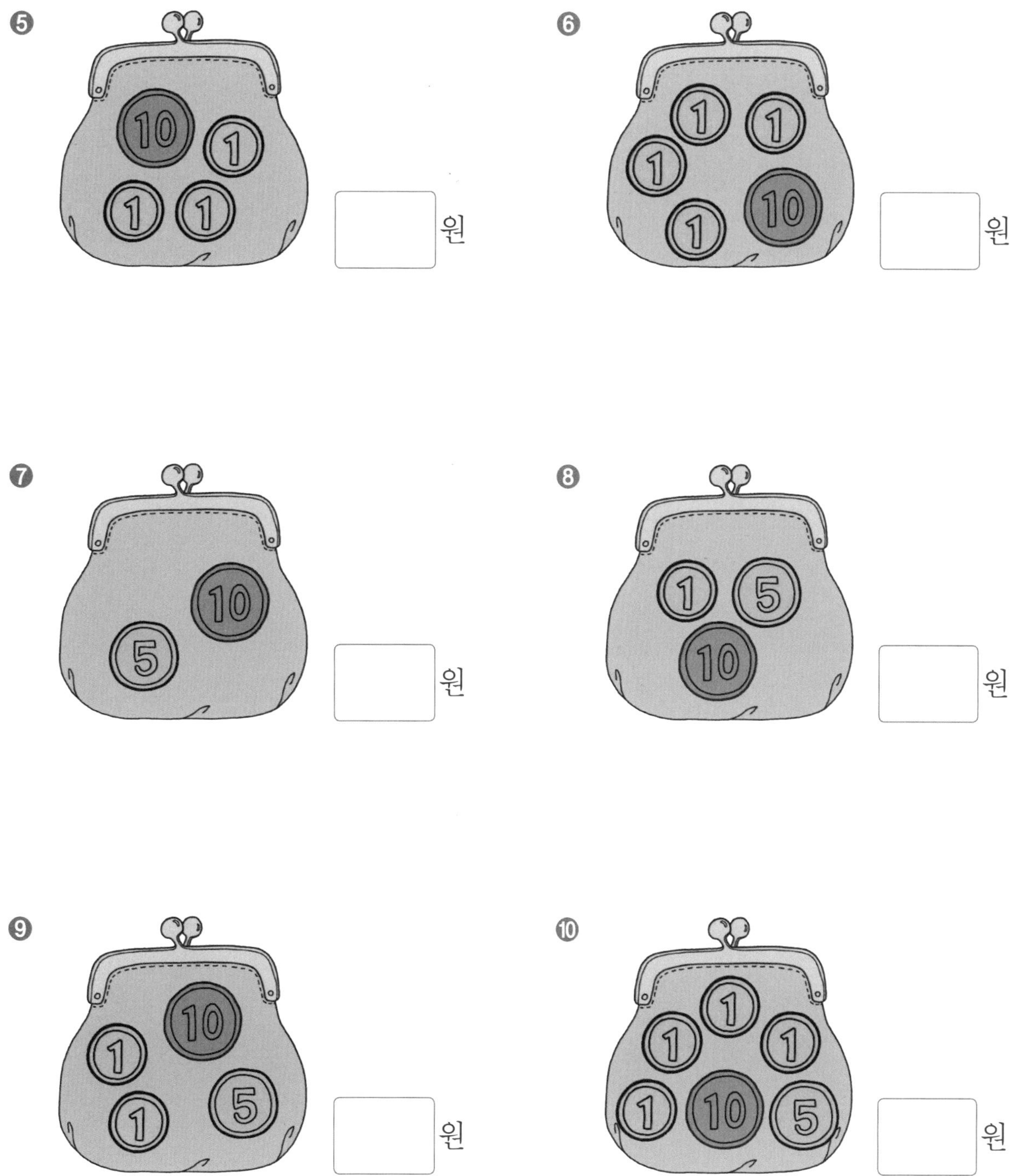
❺
원
❻
원
❼
원
❽
원
❾
원
❿
원

동전 모으기

선을 따라가며 동전을 모았습니다. 모은 돈은 얼마입니까?

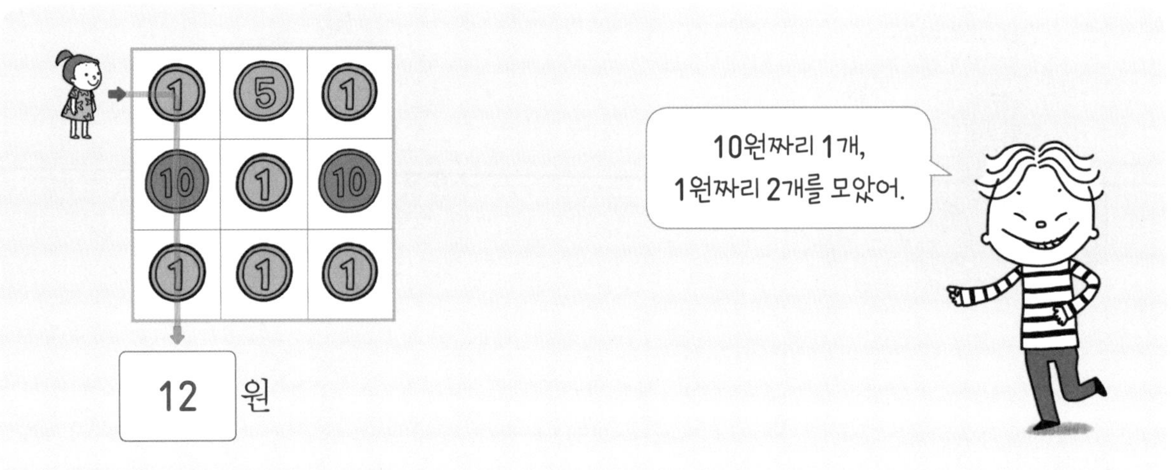

12 원
10원짜리 1개,
1원짜리 2개를 모았어.

❶

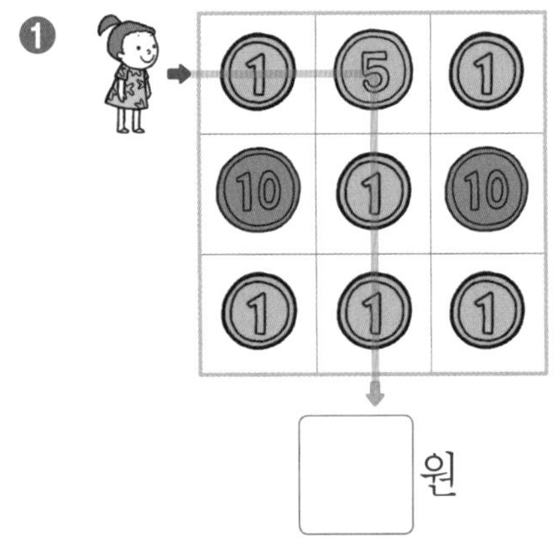

❷

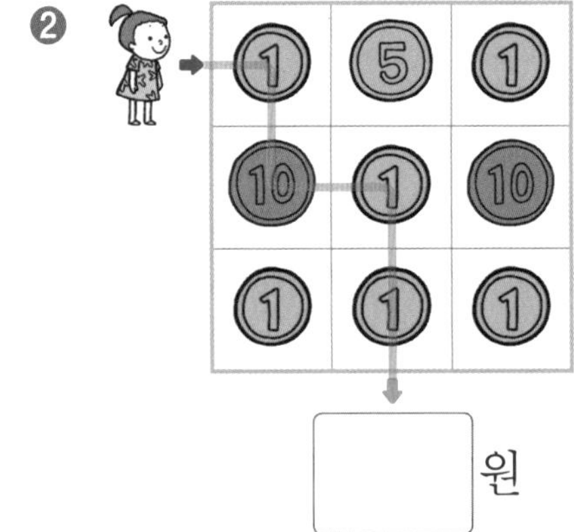

❸

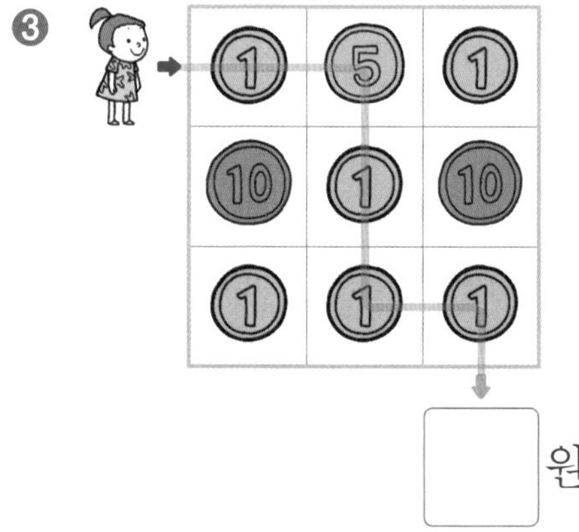

원

❹

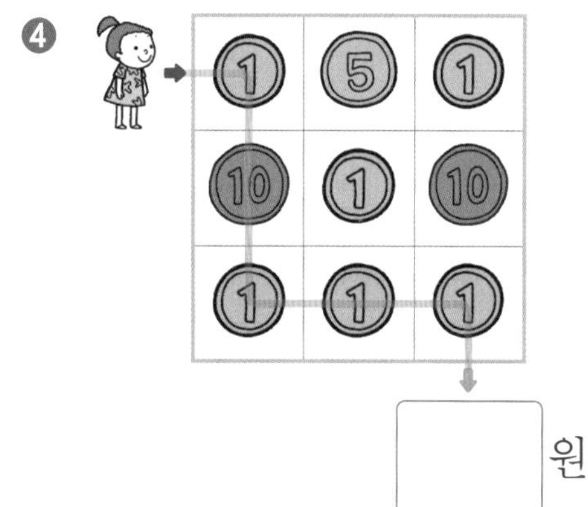

원

❺

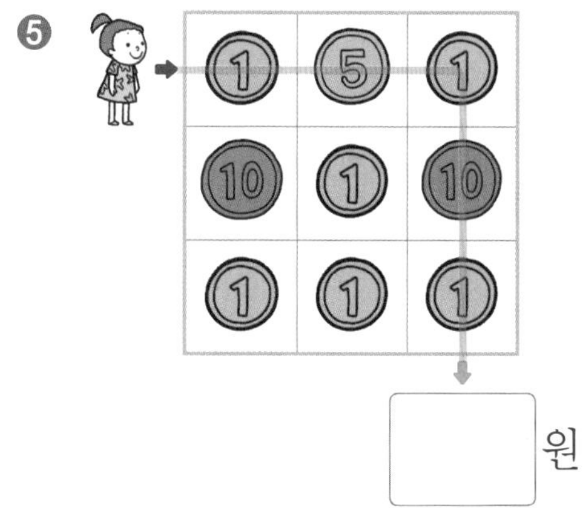

원

❻

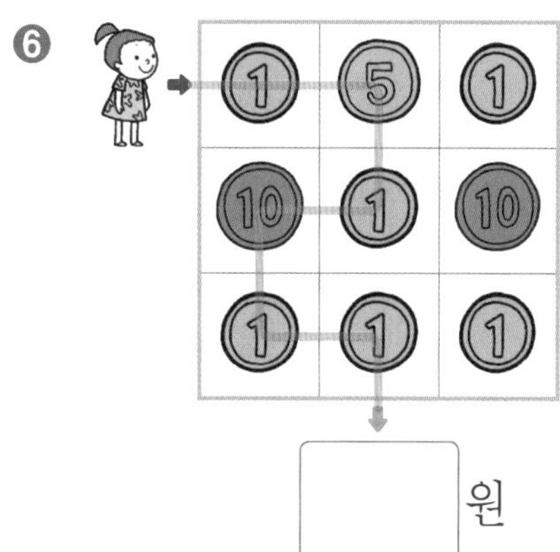

원

금액에 맞게 (1)

금액에 맞게 선을 그어 보세요. 선은 가로, 세로로만 그을 수 있습니다.

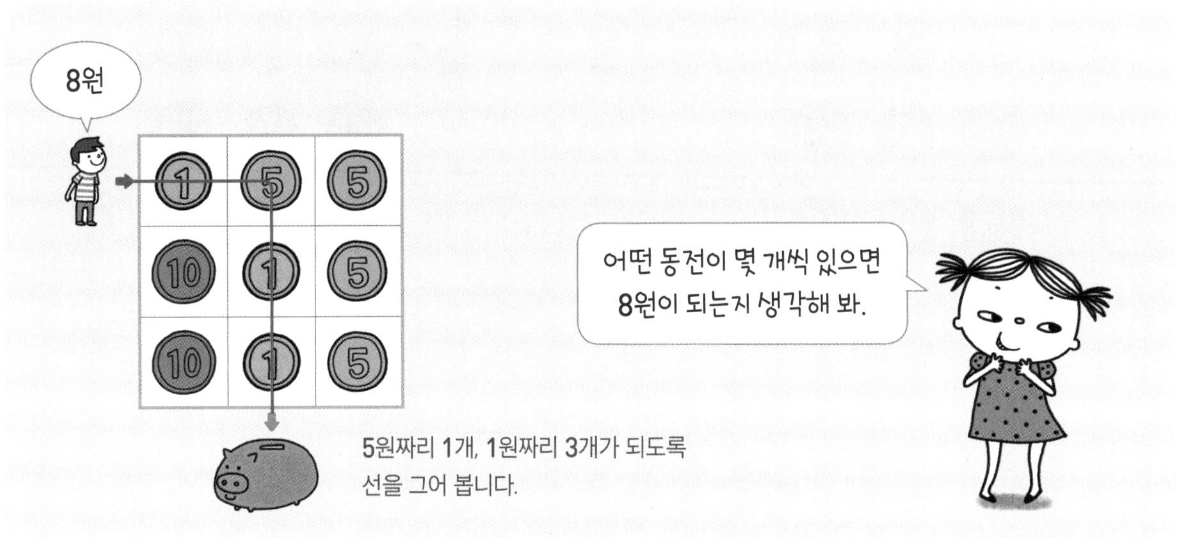

8원
1 5 5
10 1 5
10 1 5
어떤 동전이 몇 개씩 있으면
8원이 되는지 생각해 봐.
5원짜리 1개, 1원짜리 3개가 되도록
선을 그어 봅니다.

❸

9원
1
1
1
10
10
1
10
10
5

❹

14원
1
10
5
10
10
1
1
1
1

❺

16원
1
1
1
10
1
1
5
1
1

❻

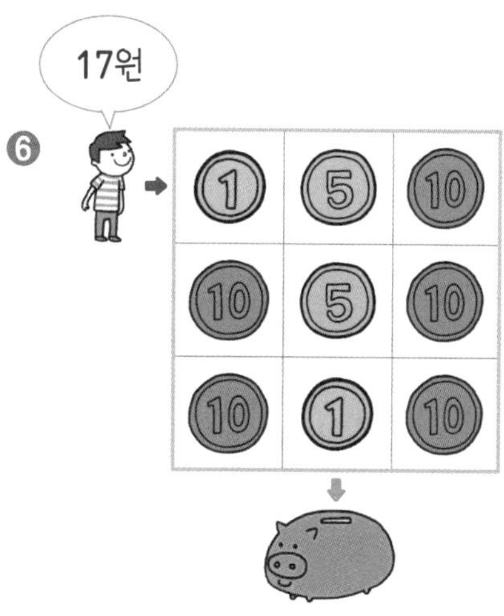
17원
1
5
10
10
5
10
10
1
10

DAY 5 금액에 맞게 (2)

저금통 안의 금액에 맞도록 ◯ 안에 1, 5, 10 중 알맞은 수를 쓰세요.

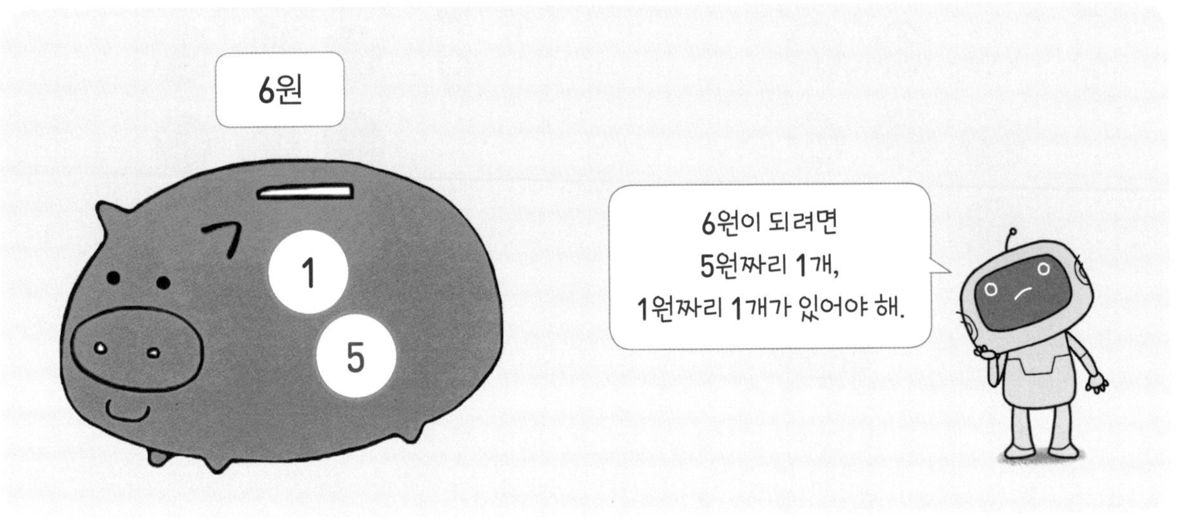

❸ 12원

❹ 9원

❺ 16원

❻ 18원

3 주차

확인학습

선을 따라가며 동전을 모았습니다. 모은 돈은 얼마입니까?

❶

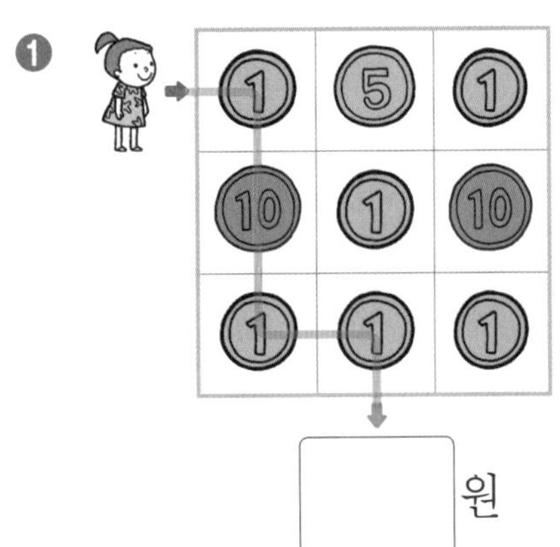

❷

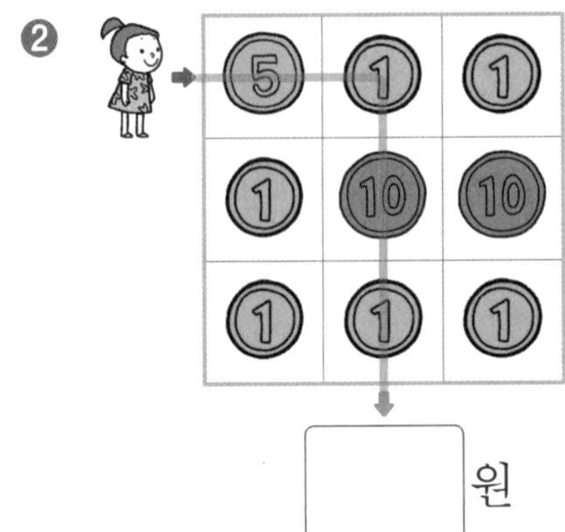

저금통 안의 금액에 맞도록 ◯ 안에 1, 5, 10 중 알맞은 수를 쓰세요.

❸

❹

4
주차

표로 나타내기

DAY 1

세어 보기

/ 표시를 하면서 세어 보세요.

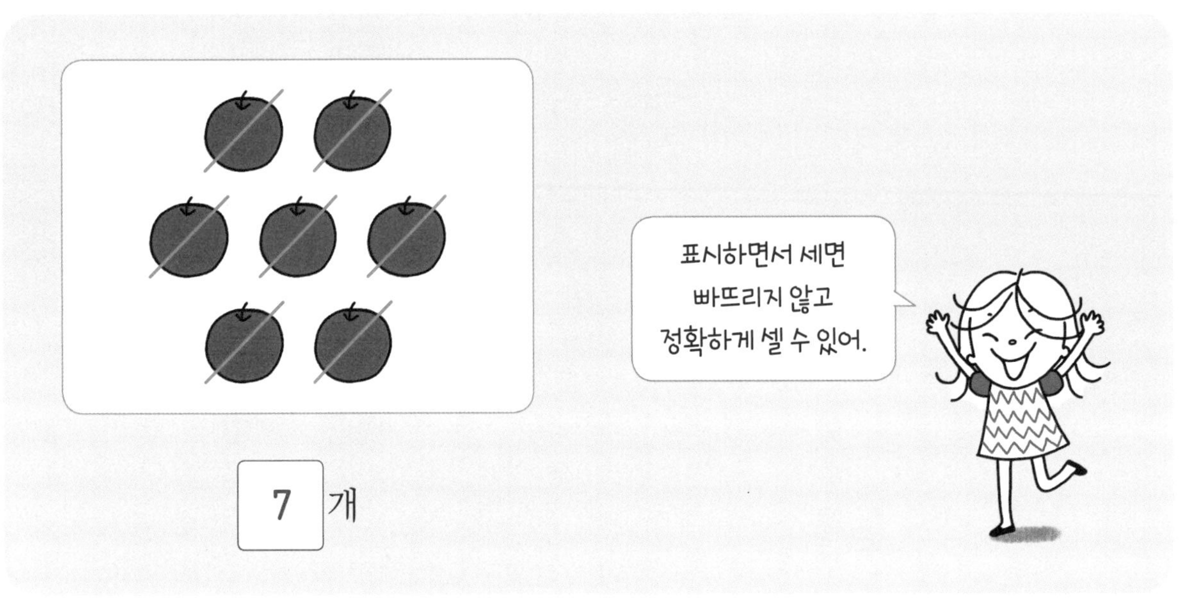

표시하면서 세면
빠뜨리지 않고
정확하게 셀 수 있어.
7 개

❶ ❷

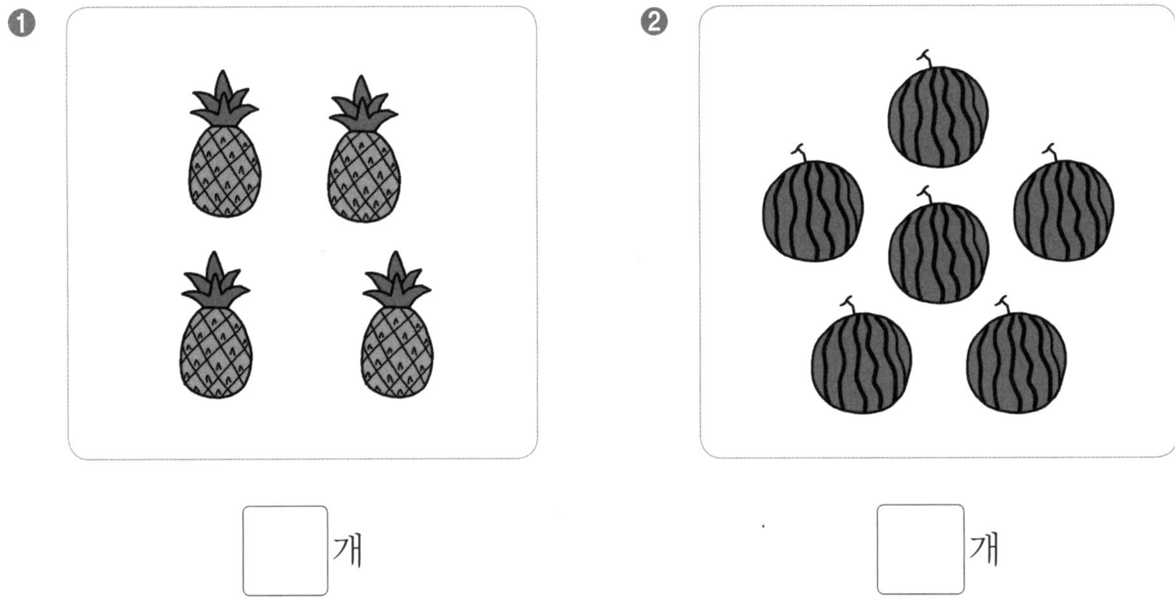

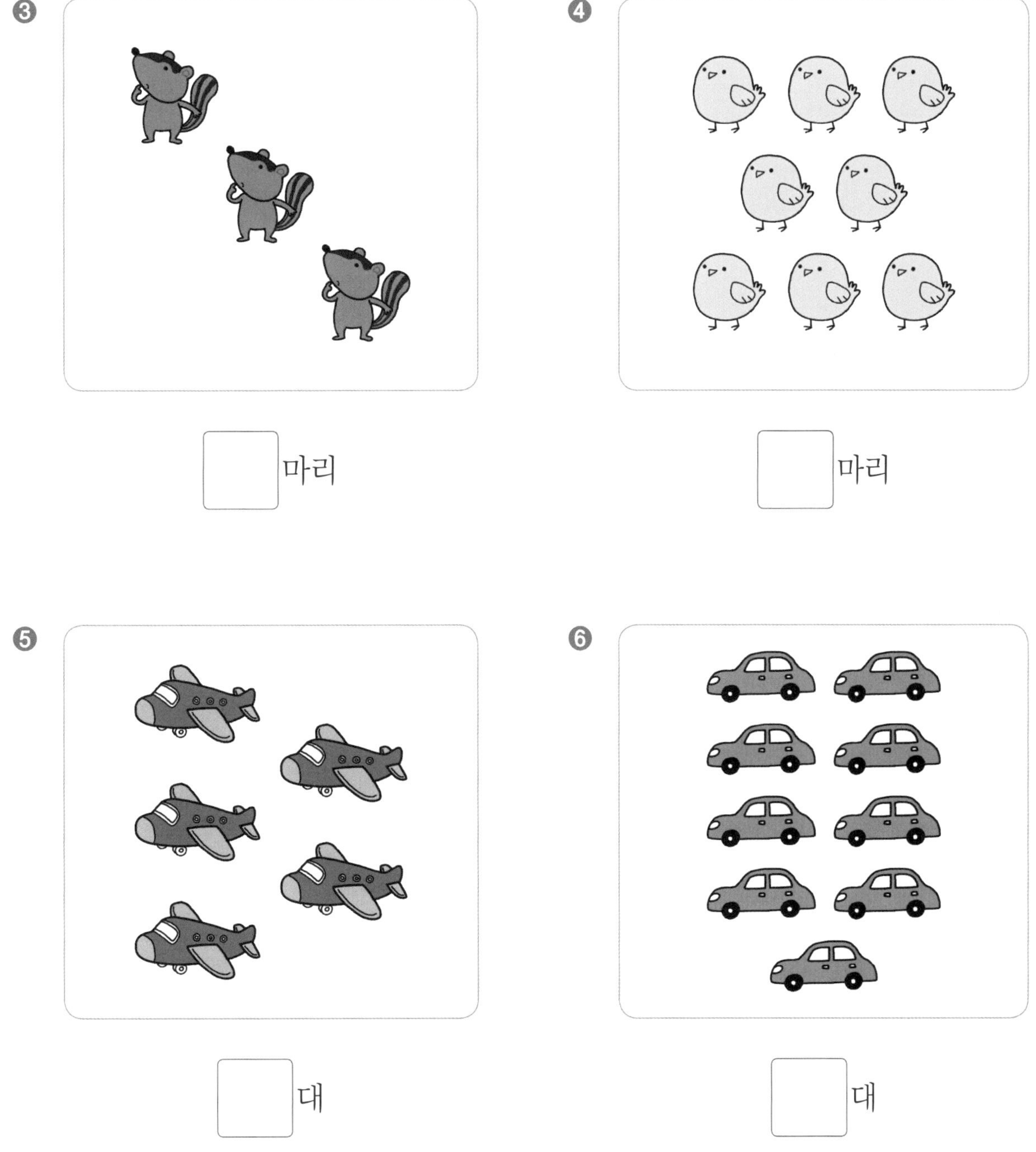

❸ □ 마리

❹ □ 마리

❺ □ 대

❻ □ 대

섞여 있는 것 세어 보기

종류별로 다른 표시를 하면서 세어 보세요.

❶

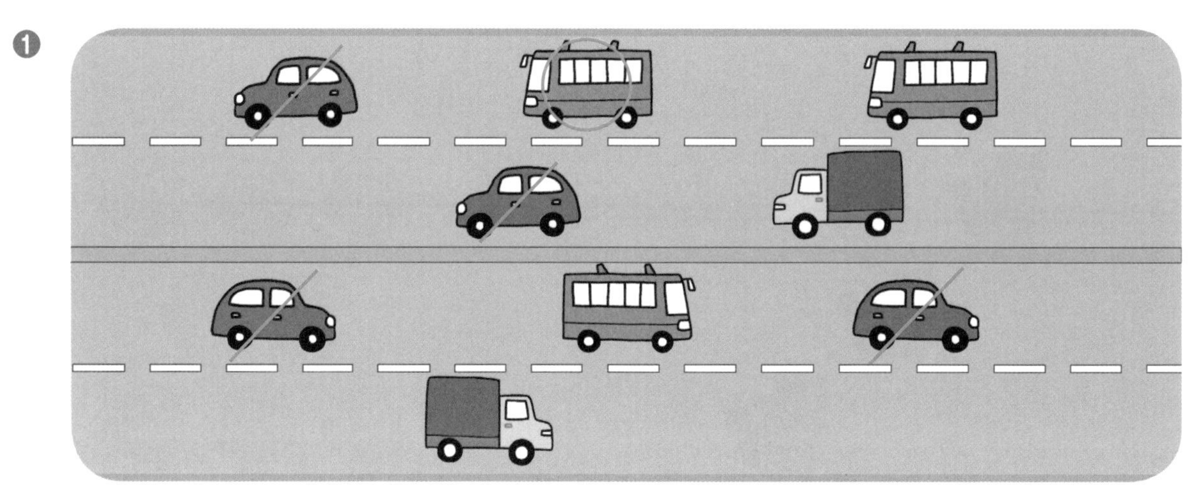

❷

: 마리, : 마리, : 마리

❸

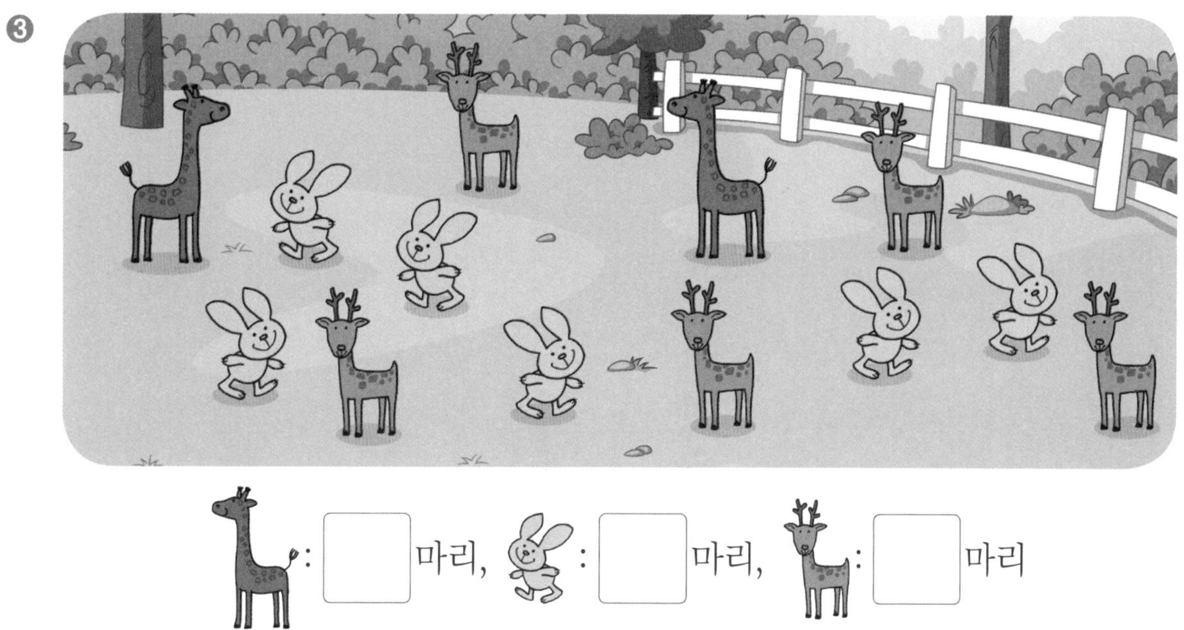

: ☐ 마리, : ☐ 마리, : ☐ 마리

❹

: ☐ 개, : ☐ 개, : ☐ 개

DAY 3

표로 나타내기 (1)

✎ 종류별로 세어 표를 완성하세요.

❶

<동물별 마리 수>

동물				
마리	4			

❷

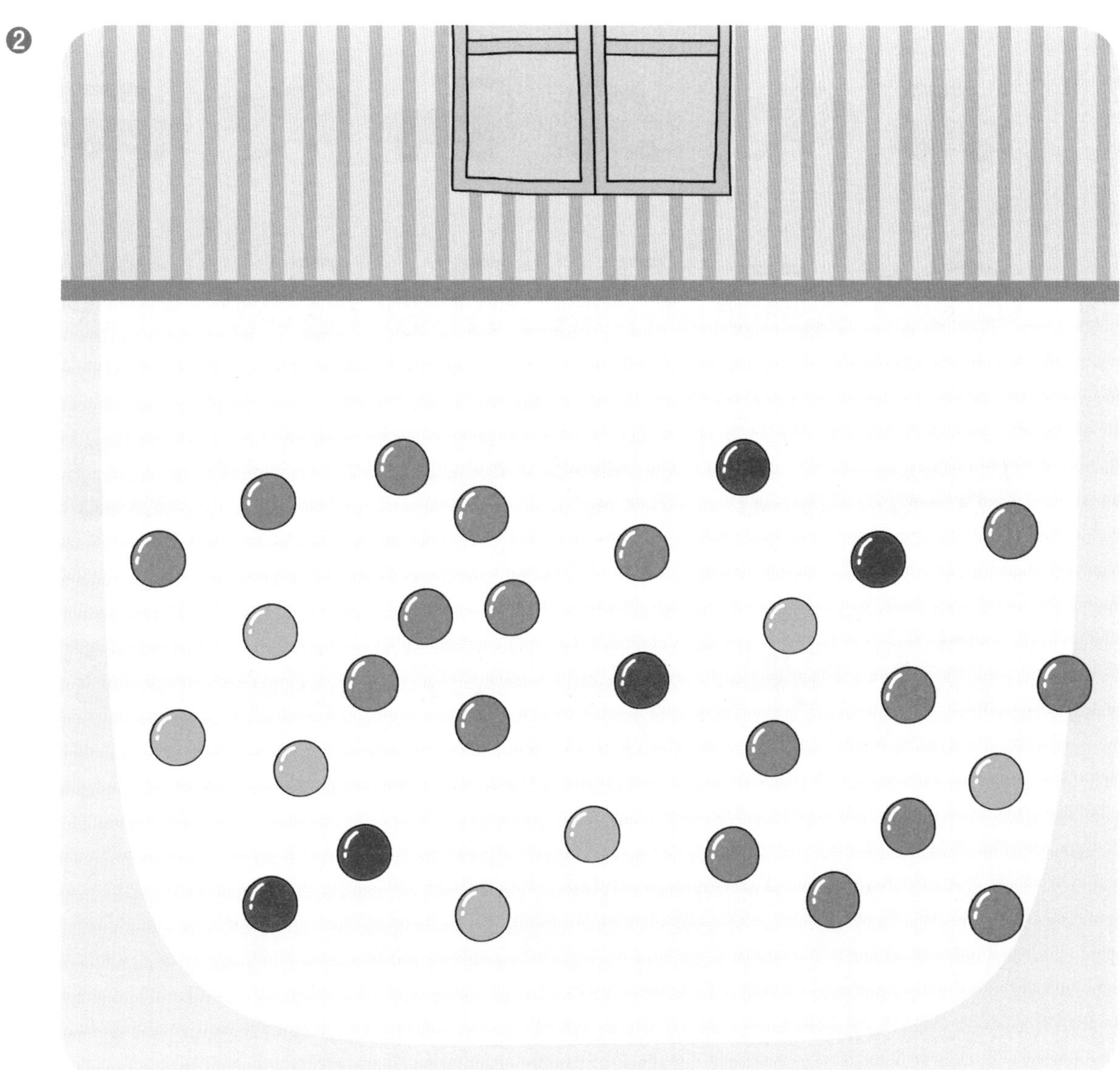

<구슬별 개수>

구슬	●	●	●	●
개수				

DAY 4 표로 나타내기 (2)

✎ 그림을 보고 종류별로 세어 표를 완성하세요.

❶

<색깔별 개수>

색깔	(●)	(●)	(●)	(●)
개수	7			

<모양별 개수>

모양	(승용차)	(비행기)	(트럭)
개수			

❷

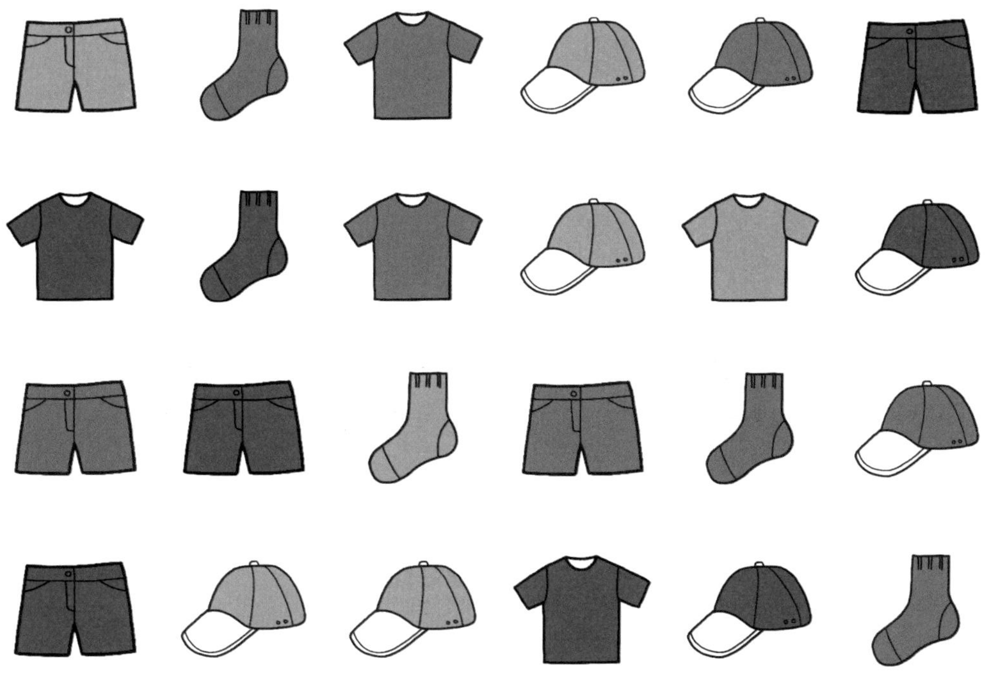

<색깔별 개수>

색깔			
개수			

<모양별 개수>

모양				
개수				

DAY 5 표를 보고 답하기

표를 보고 물음에 답하세요.

<가게의 과일 개수>

과일			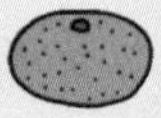	
개수	5	7	3	5

❶ 가장 많은 과일에 ◯표 하세요.

  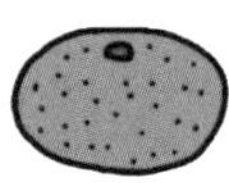 

❷ 가장 적은 과일에 ×표 하세요.

  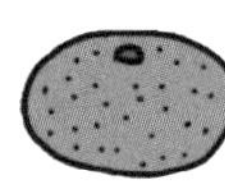 

❸ 개수가 서로 같은 과일에 모두 △표 하세요.

  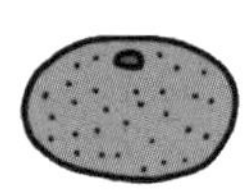 

<방에 있는 장난감 수>

장난감					
개수	6	2	9	6	7

❹ 가장 많은 장난감에 ◯표 하세요.

❺ 가장 적은 장난감에 ×표 하세요.

❻ 개수가 서로 같은 장난감에 모두 △표 하세요.

❼ 개수가 두 번째로 많은 장난감에 □표 하세요.

확인학습

종류별로 세어 표를 완성하세요.

<색깔별 개수>

색깔	●	●	●	●
개수				

<모양별 개수>

모양	바지	티셔츠	신발
개수			

마무리 평가

마무리 평가는 앞에서 공부한 4주차의 유형이 다음과 같은 순서로 나와요.
틀린 문제는 몇 주차인지 확인하여 반드시 다시 한 번 학습하도록 해요.

1주차	3주차
2주차	4주차

TEST 1 마무리 평가

●지점에서 다음 순서로 버튼을 눌렀을 때 도착하는 곳에 ○표 하세요.

❶

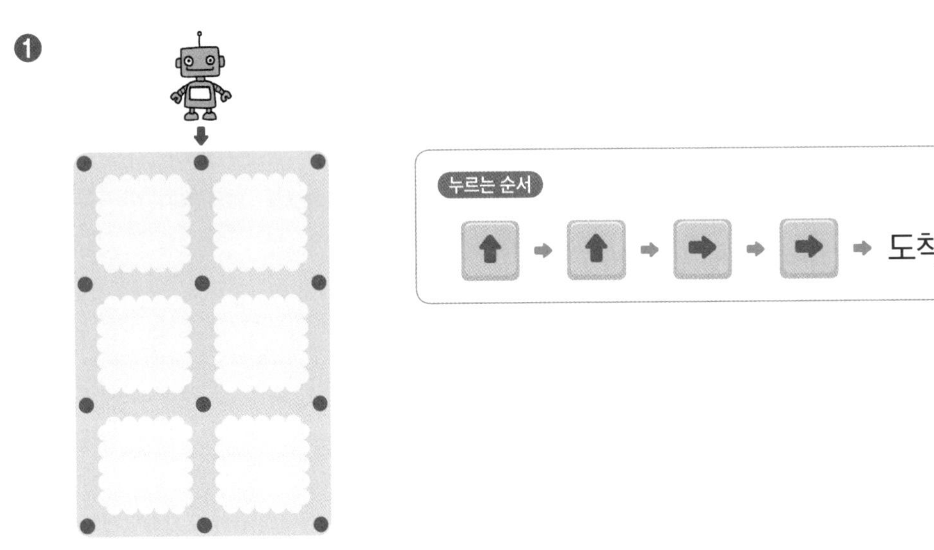

더 짧은 길에 ○표 하세요.

❷ ❸

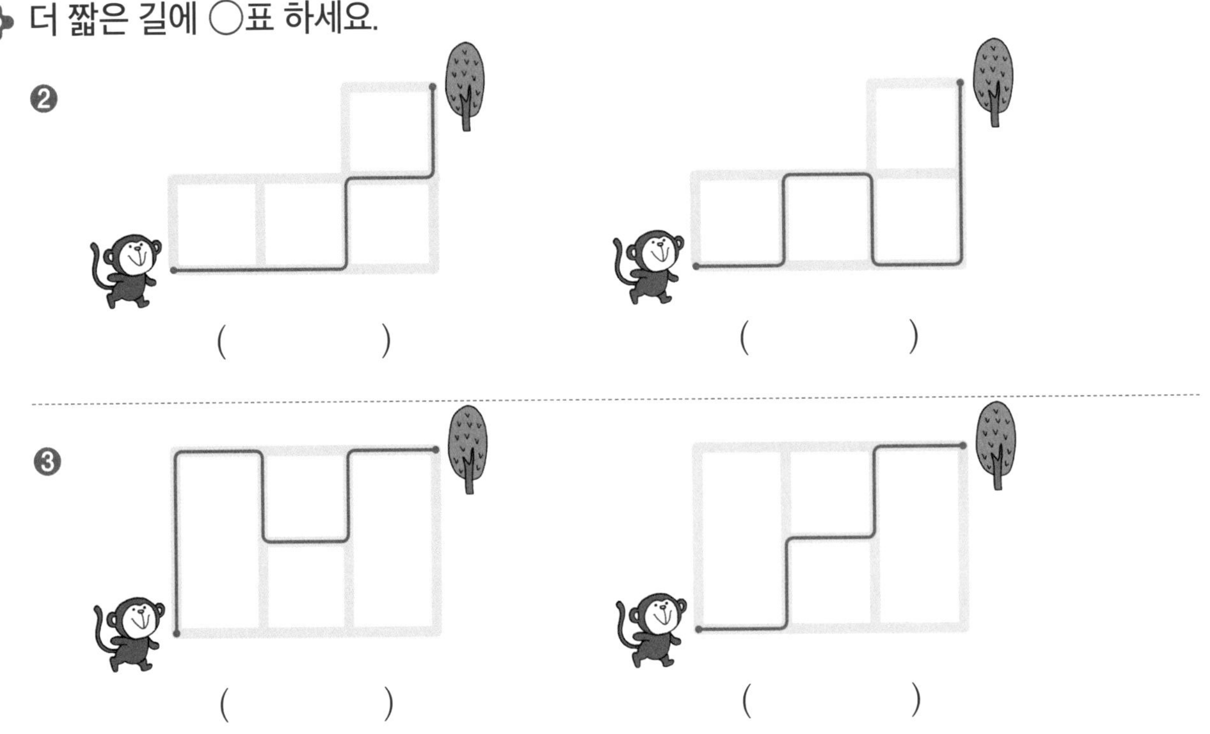

✿ 금액에 맞게 선을 그어 보세요. 선은 가로, 세로로만 그을 수 있습니다.

❹

❺

✿ 색깔별로 세어 표를 완성하세요.

❻
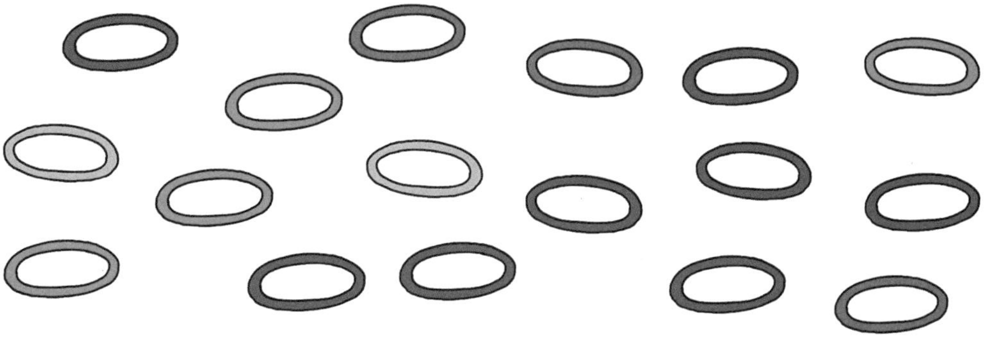

<색깔별 고리 개수>

색깔				
개수				

TEST 2 마무리 평가

✤ 앞으로 가다가 갈림길이 나오면 주어진 방향으로 바꿉니다. 가는 길을 선으로 나타내고 도착하는 곳에 ◯표 하세요.

❶ 방향 왼쪽 ➡ 오른쪽

❷ 방향 앞 ➡ 오른쪽 ➡ 오른쪽

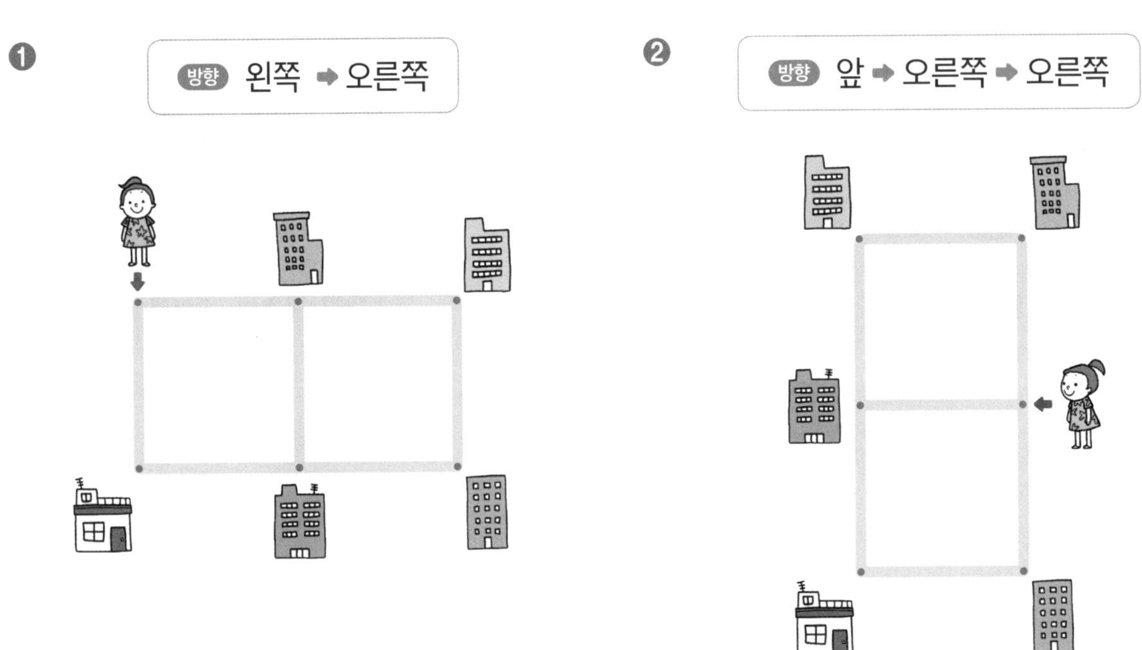

✤ 더 짧은 길에 ◯표 하세요.

❸

( ) ( )

❹

( ) ( )

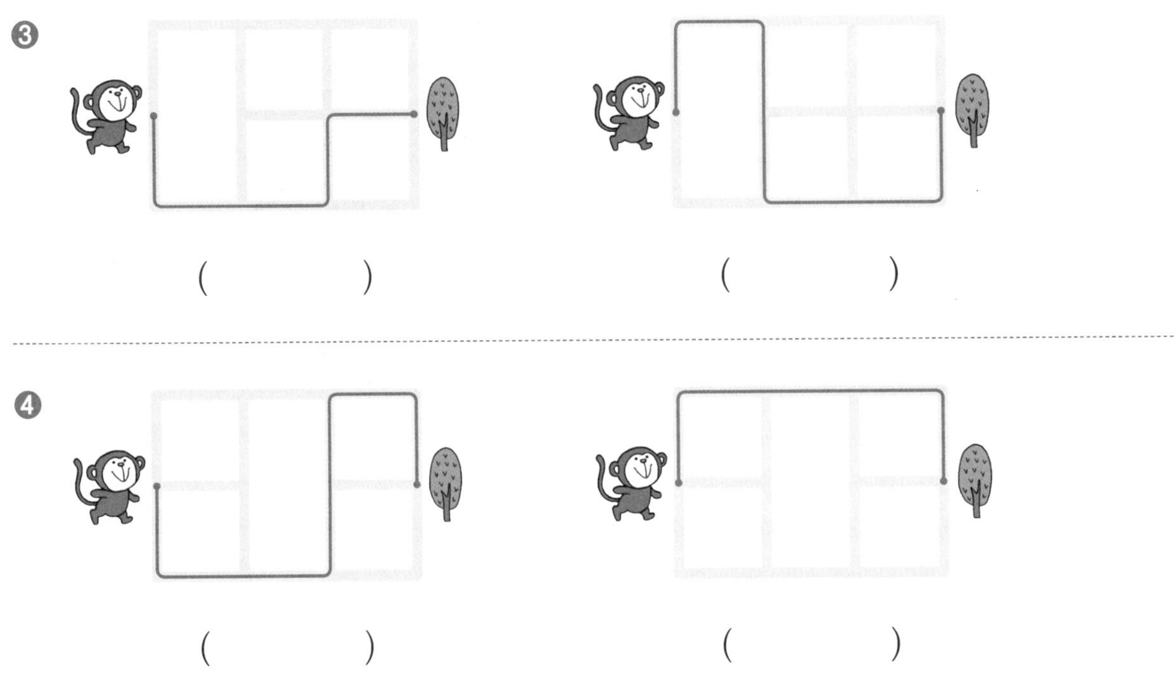

✿ 저금통 안의 금액에 맞도록 ○ 안에 1, 5, 10 중 알맞은 수를 쓰세요.

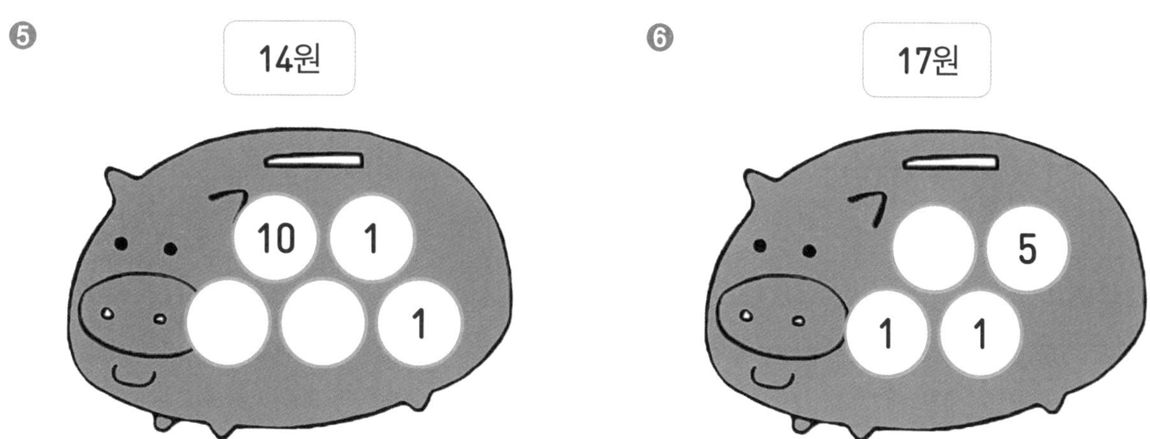

✿ 표를 보고 물음에 답하세요.

<가게의 채소 개수>

채소	당근	가지	피망	양파
개수	4	6	3	8

⑦ 가장 많은 채소에 ○표 하세요.

⑧ 가장 적은 채소에 ×표 하세요.

  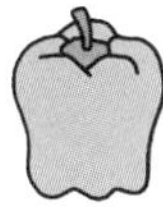 

TEST 3 마무리 평가

● 지점에서 다음 순서로 버튼을 눌렀을 때 도착하는 곳에 ◯표 하세요.

❶

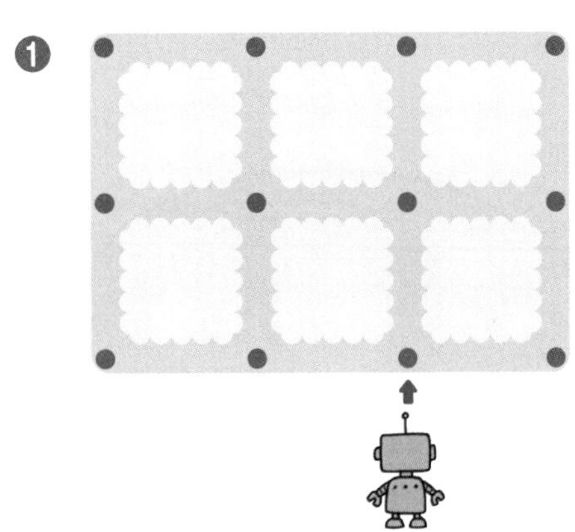

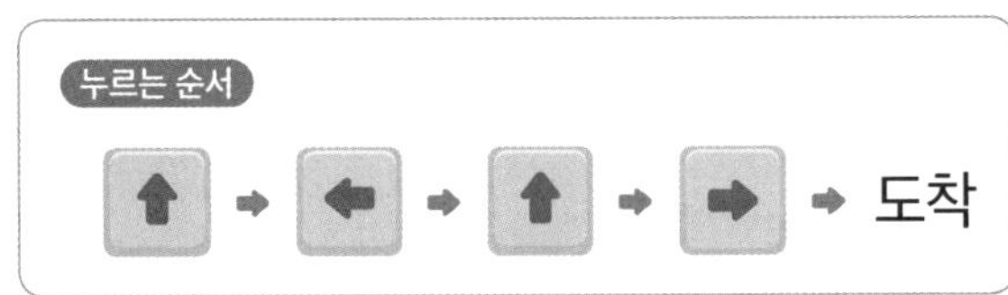

더 짧은 길에 ◯표 하세요.

❷

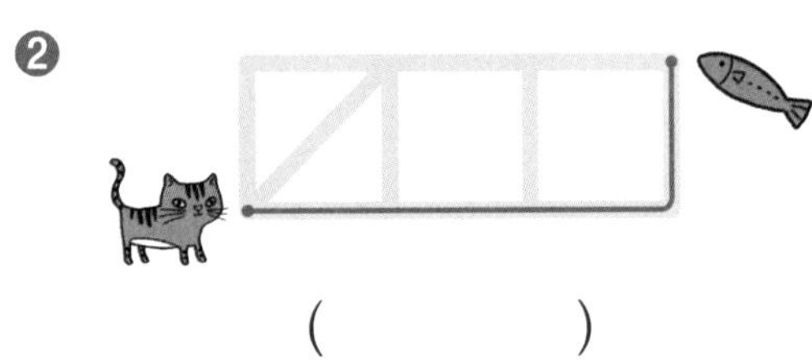

(　　　　)

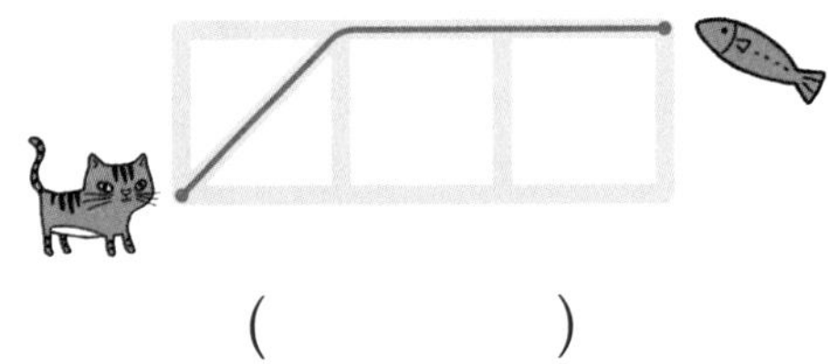

(　　　　)

❸

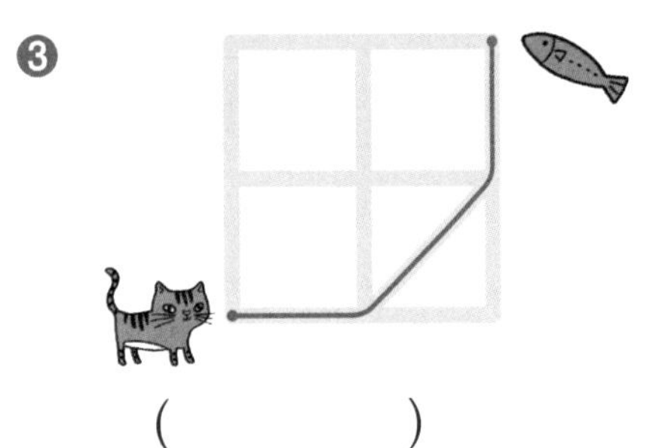

(　　　　)

(　　　　)

✤ 선을 따라가며 동전을 모았습니다. 모은 돈은 얼마입니까?

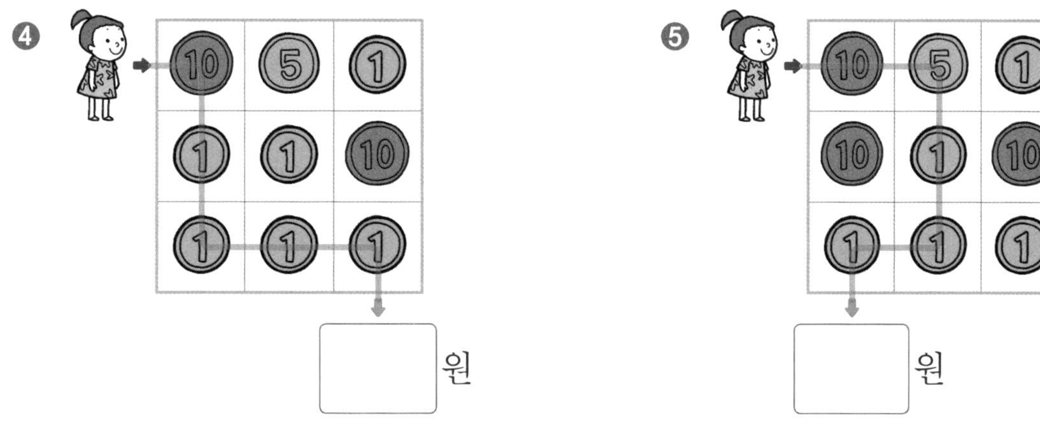

✤ 표를 보고 물음에 답하세요.

<집에 있는 학용품 개수>

학용품				
개수	8	3	6	3

❻ 가장 많은 학용품에 ◯표 하세요.

❼ 개수가 서로 같은 학용품에 모두 △표 하세요.

TEST 4

마무리 평가

✤ 앞으로 가다가 갈림길이 나오면 주어진 방향으로 바꿉니다. 가는 길을 선으로 나타내고 도착하는 곳에 ◯표 하세요.

❶ 방향 왼쪽 ➡ 오른쪽 ➡ 왼쪽

❷ 방향 앞 ➡ 왼쪽 ➡ 앞

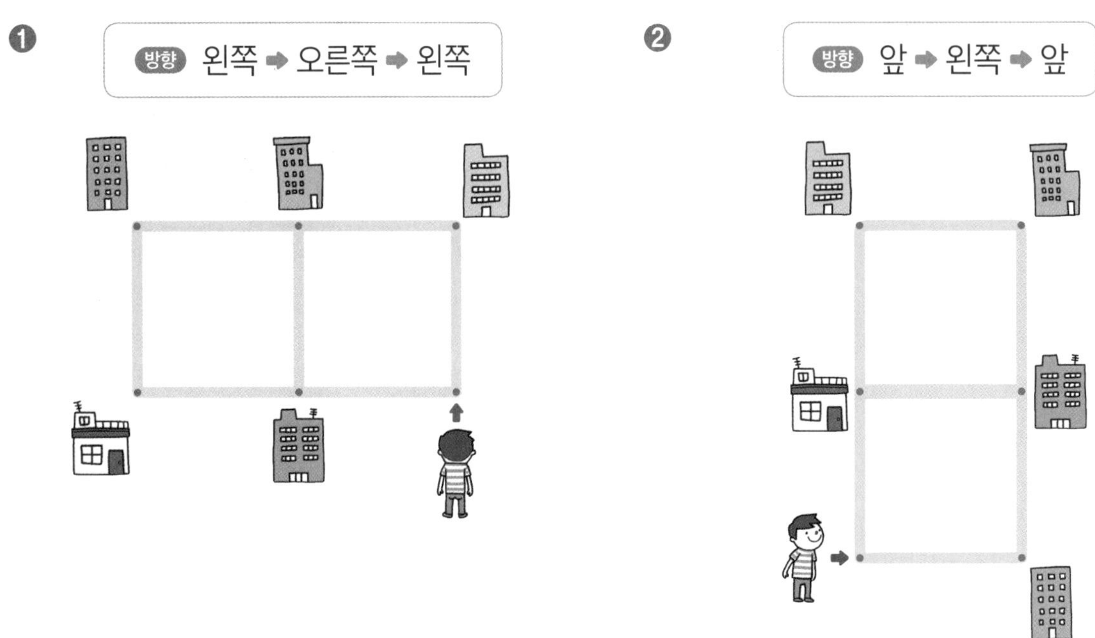

✤ 더 짧은 길에 ◯표 하세요.

❸

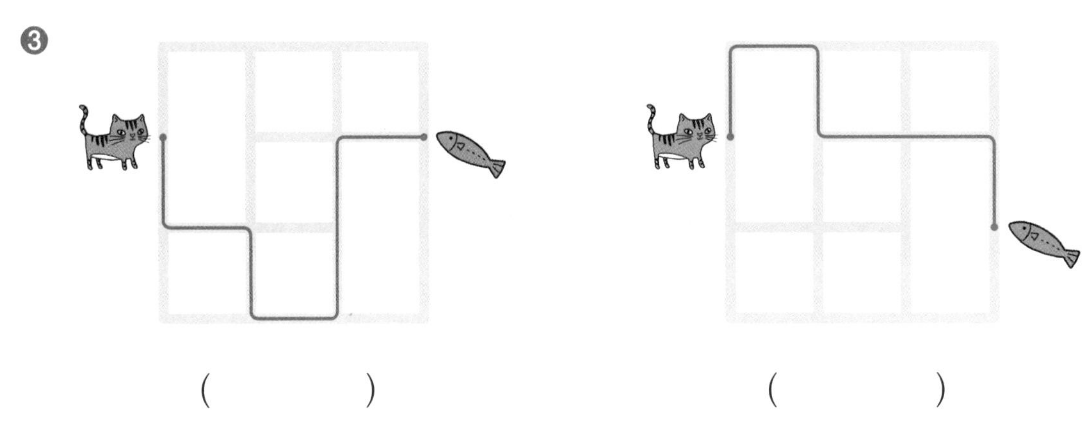

( ) ( )

✤ 저금통 안의 금액에 맞도록 ◯ 안에 1, 5, 10 중 알맞은 수를 쓰세요.

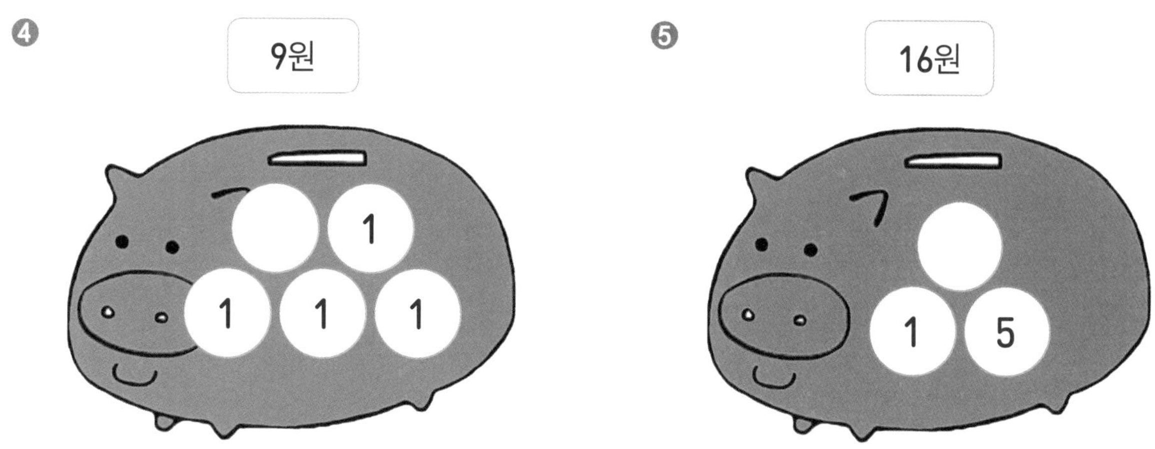

✤ 그림을 보고 색깔별로 세어 표를 완성하세요.

❻

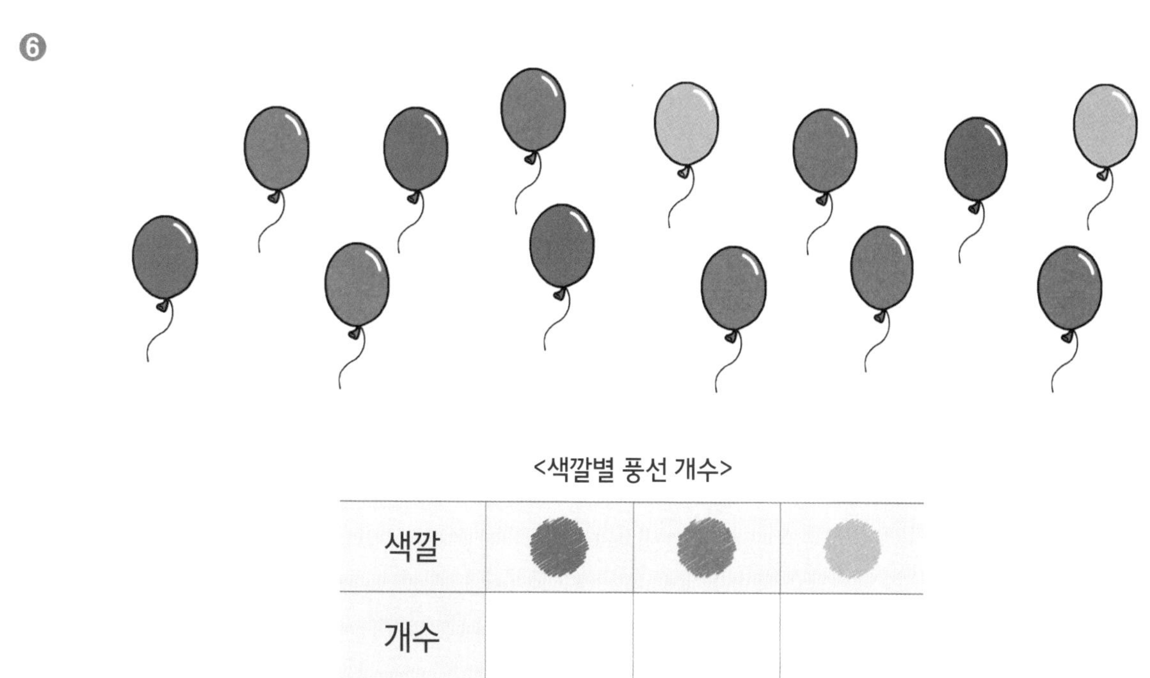

<색깔별 풍선 개수>

색깔	●	●	●
개수			

TEST 5 마무리 평가

● 지점에서 다음 순서로 버튼을 눌렀을 때 도착하는 곳에 ○표 하세요.

❶

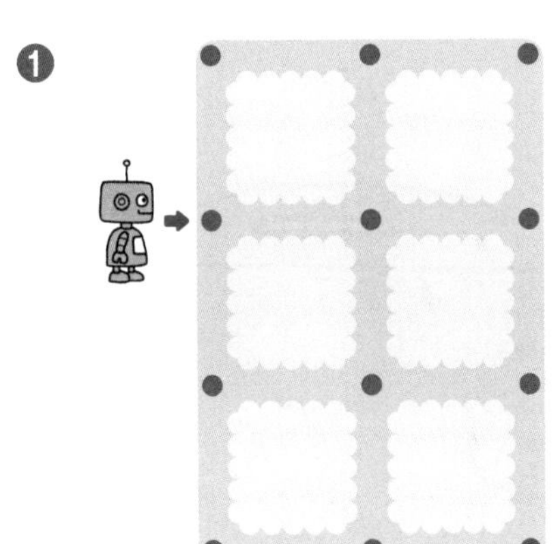

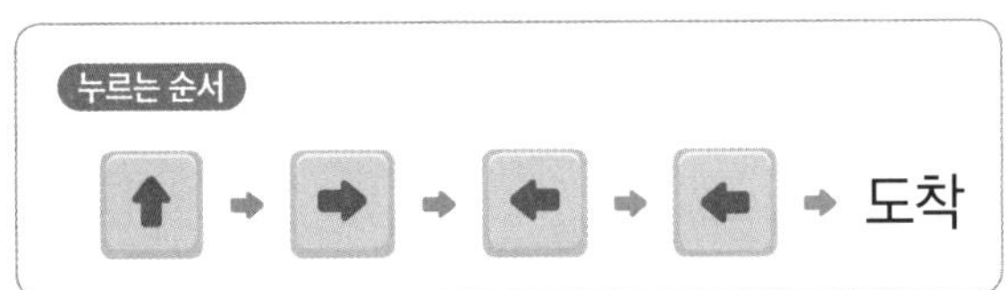

더 짧은 길에 ○표 하세요.

❷

(　　　　)

(　　　　)

❸

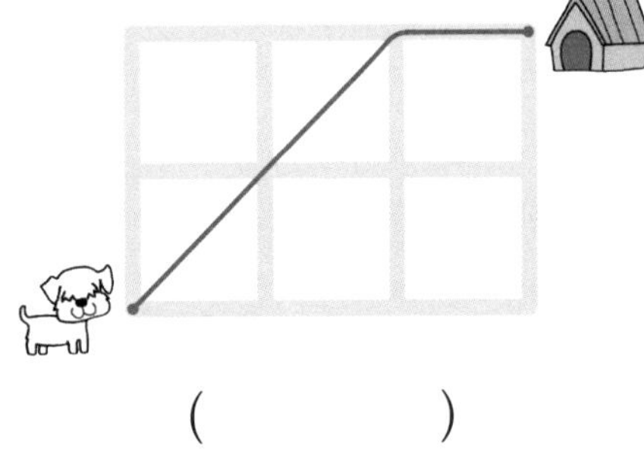

(　　　　)

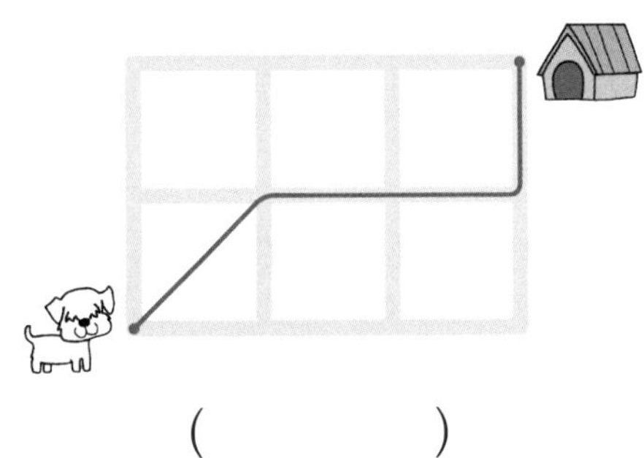

(　　　　)

✤ 모두 얼마입니까?

❹

☐ 원

❺

☐ 원

✤ 종류별로 세어 표를 완성하세요.

❻

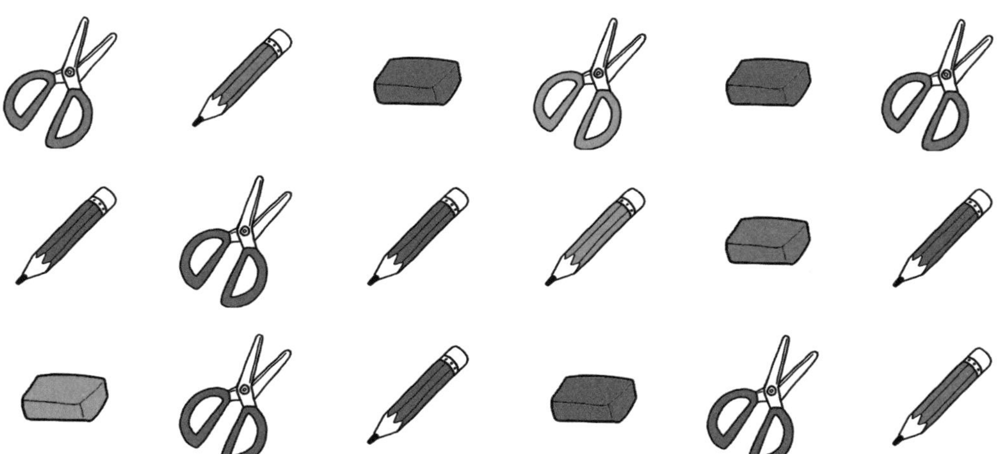

<색깔별 개수>

색깔				
개수				

<모양별 개수>

모양			
개수			

pensées

사고가 자라는 수학
씨투엠

'사고력수학의 시작'

팡세

pensées

S4

정답과 풀이

네이버 공식 지원 카페 필즈엠

씨투엠에듀 공식 인스타그램

‘사고력수학의 시작’

팡세

pensées

S4

정답과 풀이

1주차 방향 지시

DAY 1 방향으로 이동 (1)

주어진 방향으로 갔을 때 도착하는 곳에 ◯표 하세요.

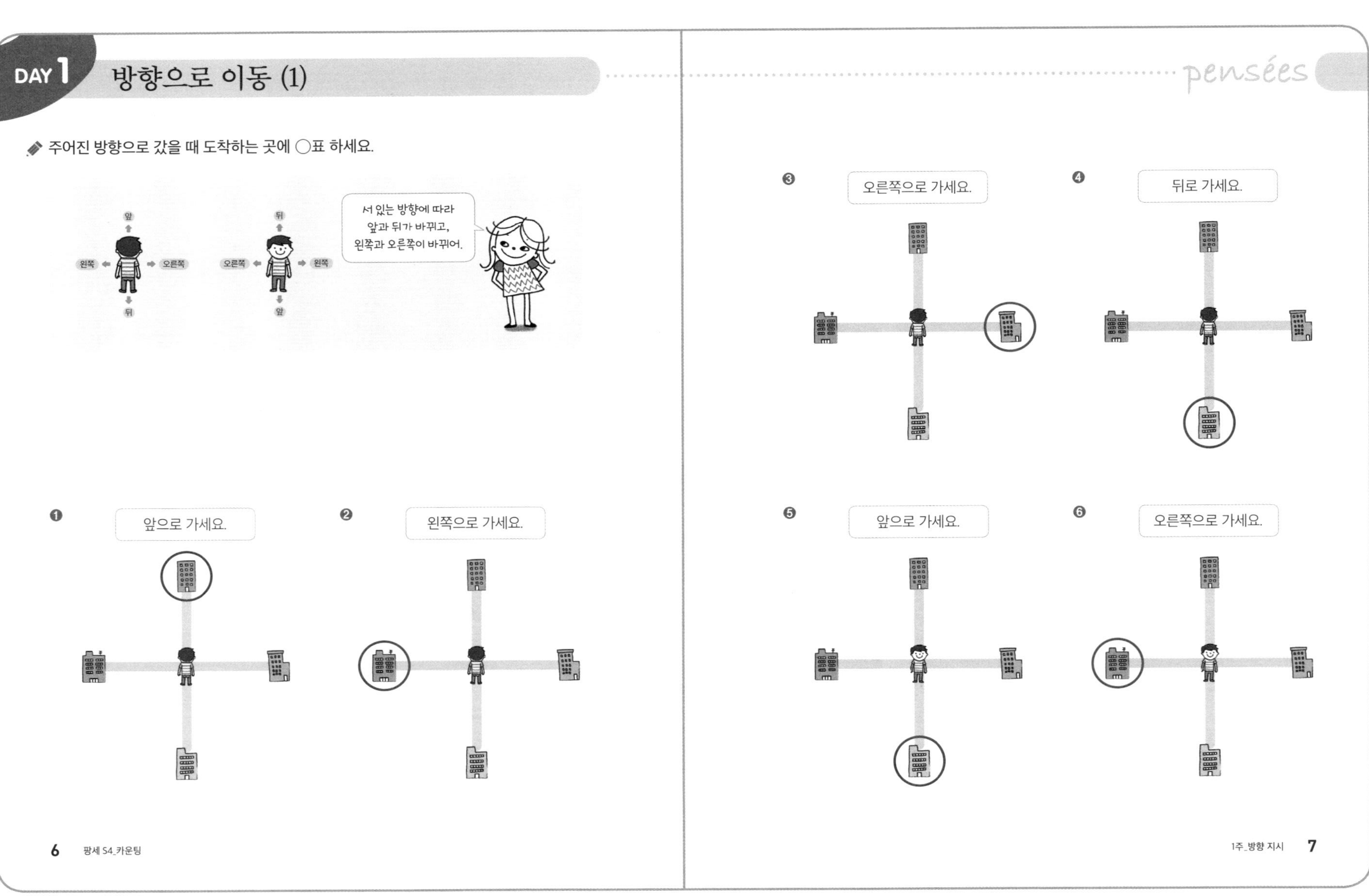

❶ 앞으로 가세요.

❷ 왼쪽으로 가세요.

❸ 오른쪽으로 가세요.

❹ 뒤로 가세요.

❺ 앞으로 가세요.

❻ 오른쪽으로 가세요.

DAY 2 방향으로 이동 (2)

주어진 방향으로 갔을 때 마지막으로 도착하는 곳에 ◯표 하세요.

앞으로 가다가 ●에서
오른쪽으로 가세요.

처음에 앞으로 가다가
갈림길에서 오른쪽 길을
선택하는 거야.

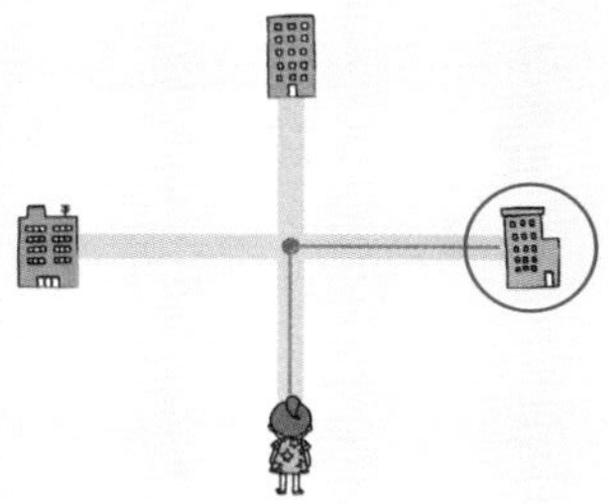

❶ 앞으로 가다가 ●에서
앞으로 가세요.

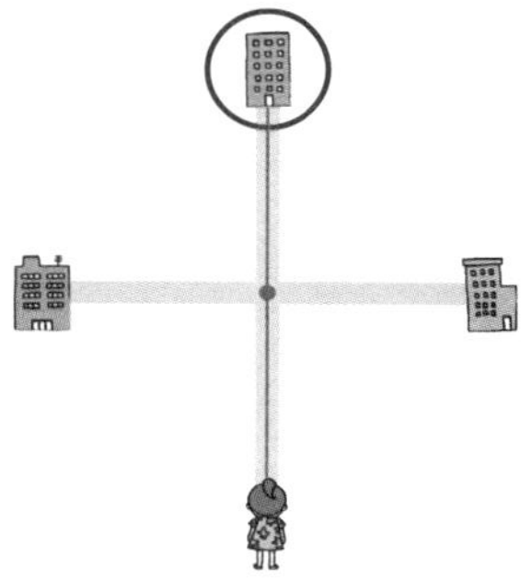

❷ 앞으로 가다가 ●에서
왼쪽으로 가세요.

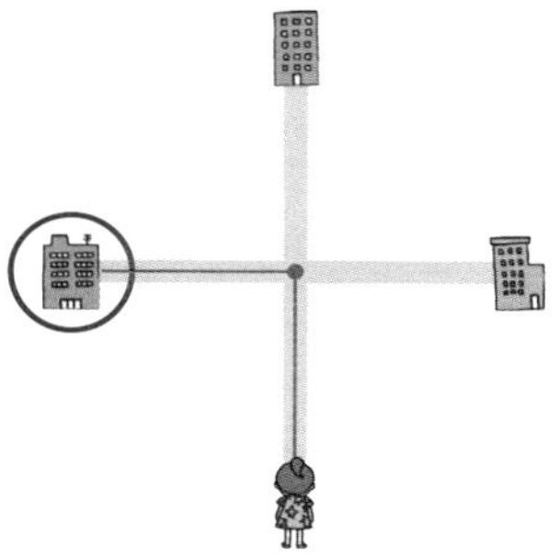

❸ 앞으로 가다가 ●에서
오른쪽으로 가세요.

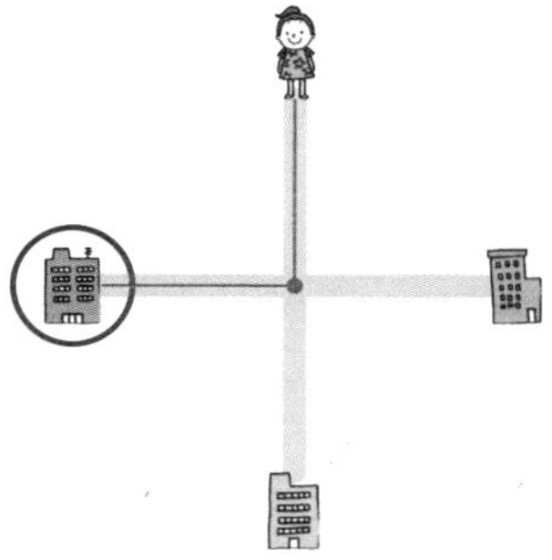

❹ 앞으로 가다가 ●에서
왼쪽으로 가세요.

❺ 앞으로 가다가 ●에서
앞으로 가세요.

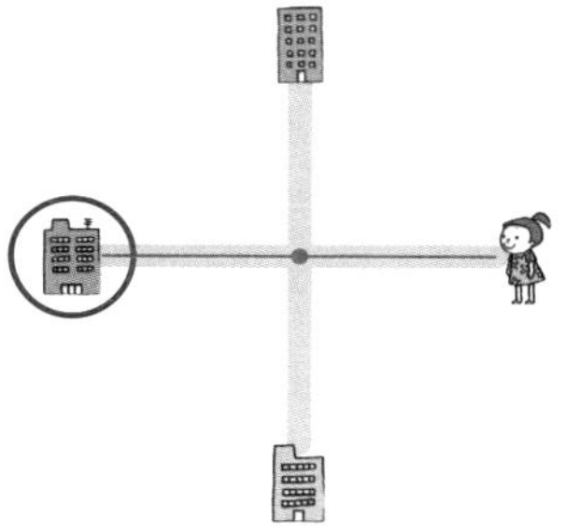

❻ 앞으로 가다가 ●에서
왼쪽으로 가세요.

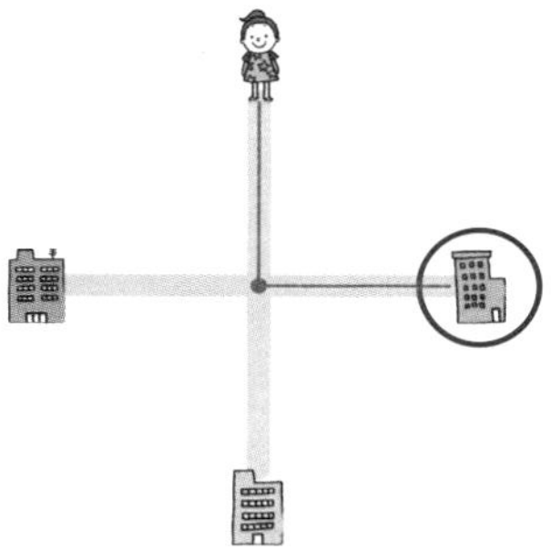

DAY 3 갈림길 선택 (1)

pensées

✎ 앞으로 가다가 갈림길이 나오면 주어진 방향으로 바꿉니다. 가는 길을 선으로 나타내고 도착하는 곳에 ◯표 하세요.

❶ 방향 앞 ➡ 왼쪽

첫 번째 갈림길에서 앞으로 간 후
두 번째 갈림길에서 왼쪽으로 갑니다.

❷ 방향 앞 ➡ 오른쪽

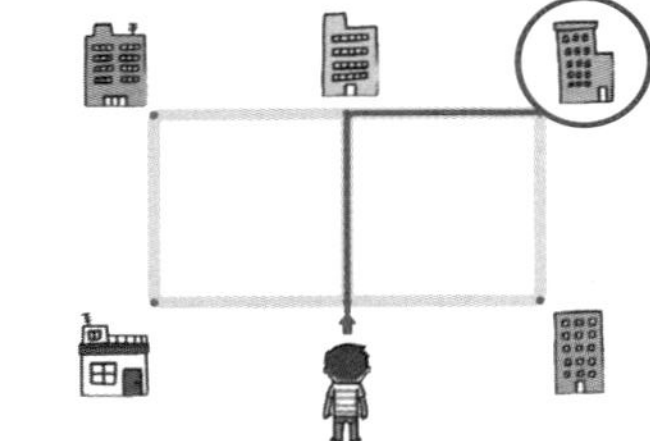

첫 번째 갈림길에서 앞으로 간 후
두 번째 갈림길에서 오른쪽으로 갑니다.

바라보는 방향이 바뀌었으므로 앞, 왼쪽, 오른쪽의 방향이 바뀝니다.

❸ 방향 앞 ➡ 왼쪽

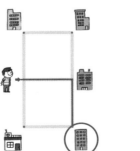

❹ 방향 앞 ➡ 오른쪽

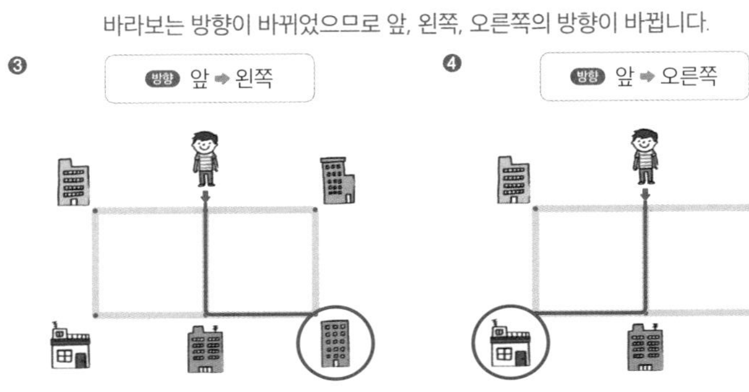

❺

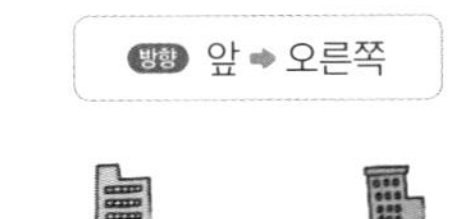

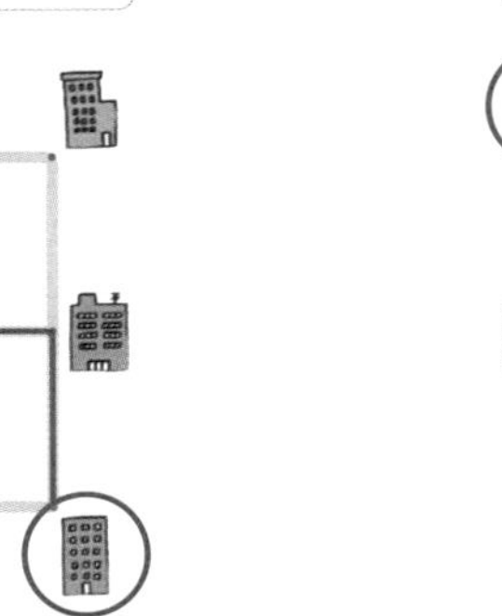

❻

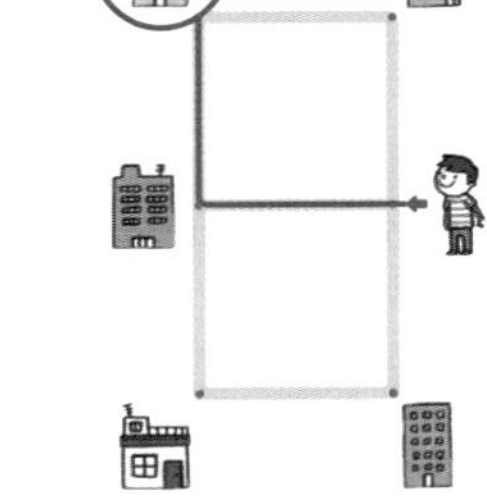

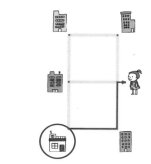

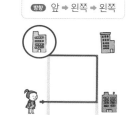

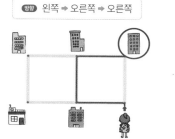

갈림길 선택 (2)

앞으로 가다가 갈림길이 나오면 주어진 방향으로 바뀝니다. 가는 길을 선으로 나타내고 도착하는 곳에 ◯표 하세요.

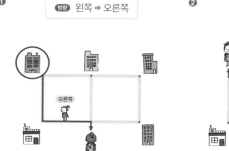

방향 오른쪽 ➡ 왼쪽

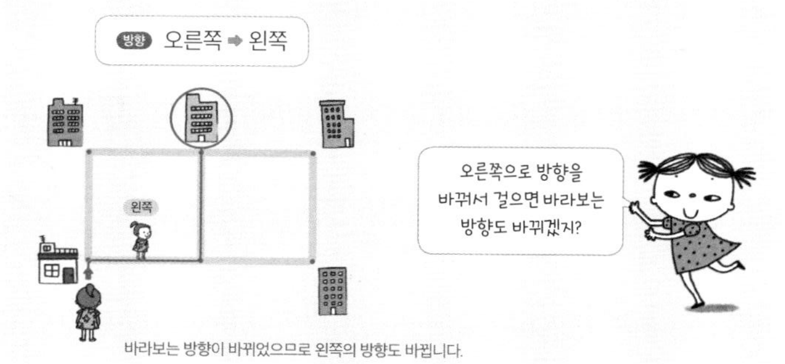

왼쪽
오른쪽으로 방향을 바꿔서 걸으면 바라보는 방향도 바뀌겠지?

바라보는 방향이 바뀌었으므로 왼쪽의 방향도 바뀝니다.

❶ 방향 왼쪽 ➡ 오른쪽

오른쪽

❷ 방향 왼쪽 ➡ 앞

앞

바라보는 방향이 바뀌었으므로 앞, 왼쪽, 오른쪽의 방향이 바뀝니다.

❸ 방향 오른쪽 ➡ 앞 ➡ 왼쪽

❹ 방향 왼쪽 ➡ 오른쪽

❺ 방향 왼쪽 ➡ 오른쪽 ➡ 오른쪽

❻ 방향 앞 ➡ 왼쪽 ➡ 왼쪽

DAY 5 로봇 조종

● 지점에서 다음 순서로 버튼을 눌렀을 때 도착하는 곳에 ○표 하세요.

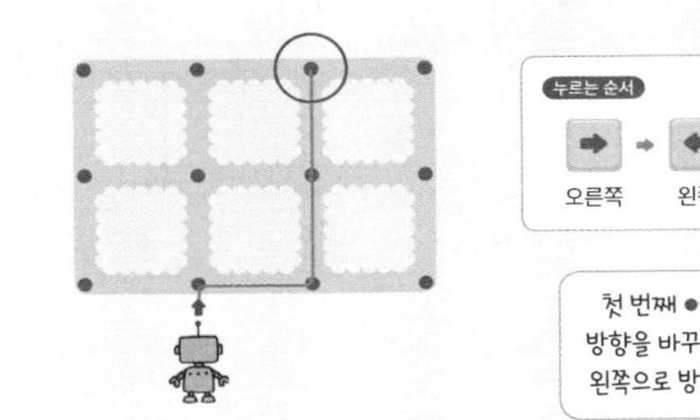

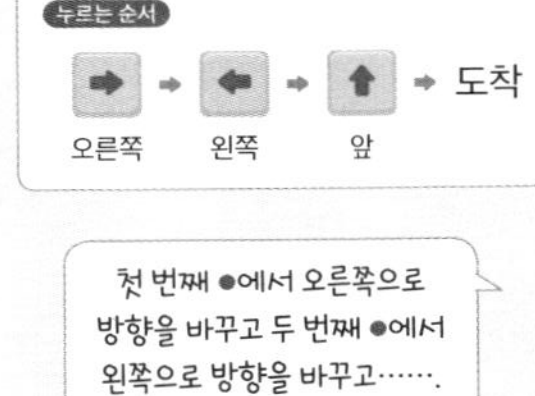

첫 번째 ●에서 오른쪽으로
방향을 바꾸고 두 번째 ●에서
왼쪽으로 방향을 바꾸고……

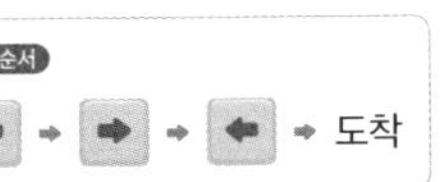

❶

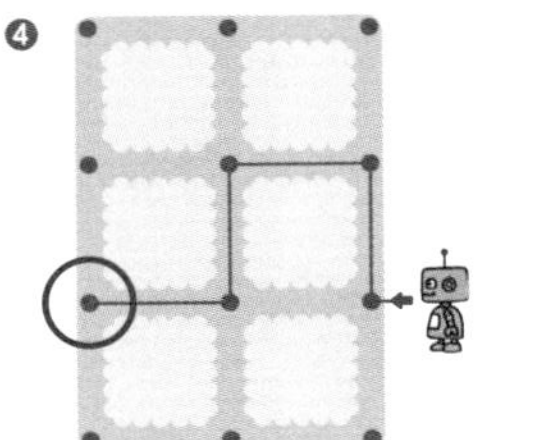
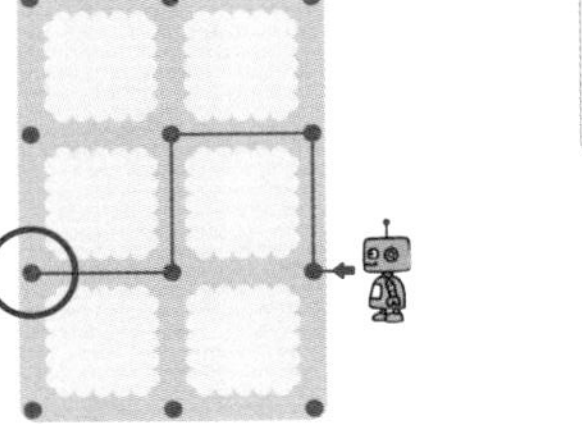

누르는 순서: ← → → → ← → 도착

❷

누르는 순서: ← → ↑ → → → 도착

❸

누르는 순서: ↑ → ← → → → ← → 도착

❹

누르는 순서: → → ← → ← → → → 도착

1 주차

확인학습

앞으로 가다가 갈림길이 나오면 주어진 방향으로 바꿉니다. 가는 길을 선으로 나타내고 도착하는 곳에 ○표 하세요.

❶ 방향 왼쪽 ➡ 오른쪽

❷ 방향 앞 ➡ 오른쪽 ➡ 오른쪽

● 지점에서 다음 순서로 버튼을 눌렀을 때 도착하는 곳에 ○표 하세요.

❸

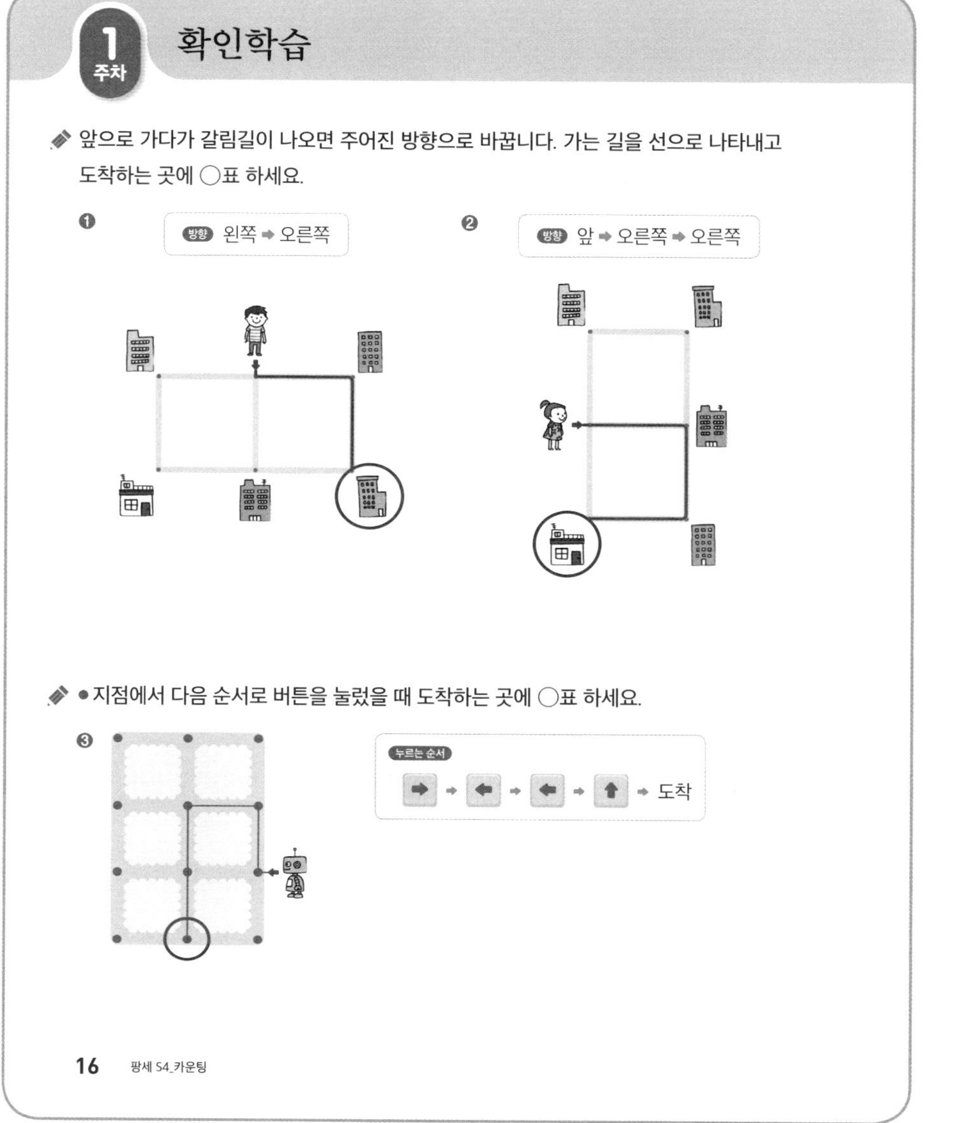

2주차 가장 짧은 길

DAY 1 가장 짧은 길 (1)

가장 짧은 길을 따라 선을 그어 보세요.

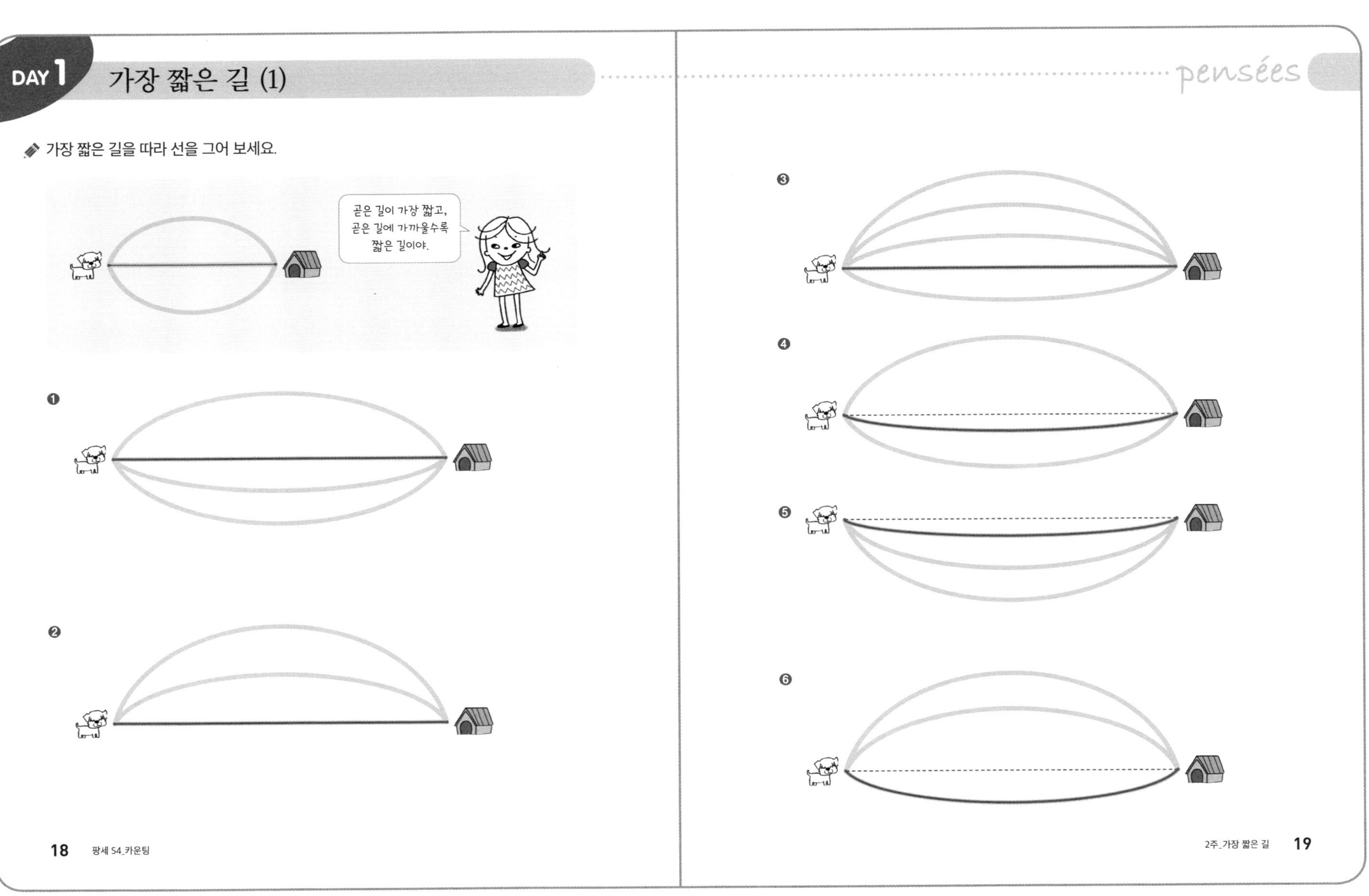

곧은 길이 가장 짧고,
곧은 길에 가까울수록
짧은 길이야.
❶
❷
❸
❹
❺
❻

DAY 2

가장 짧은 길 (2)

가장 짧은 길을 따라 선을 그어 보세요.

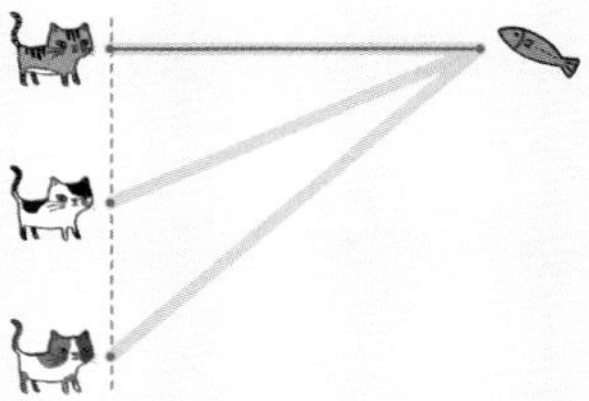

모두 곧은 길이지만 고양이의 위치에 따라 길이가 달라.

❶

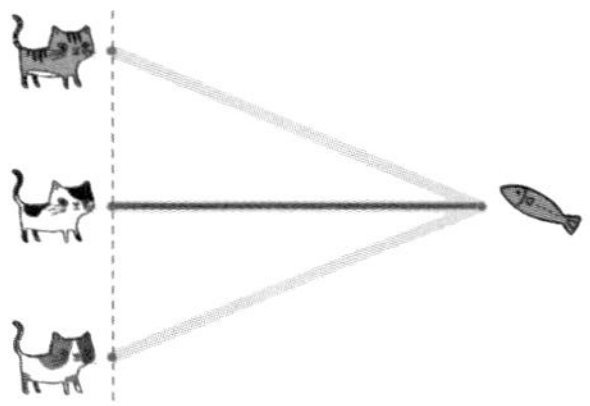

❷

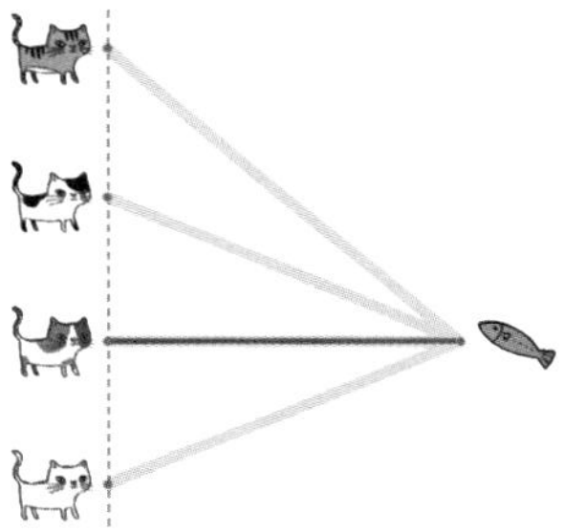

❸

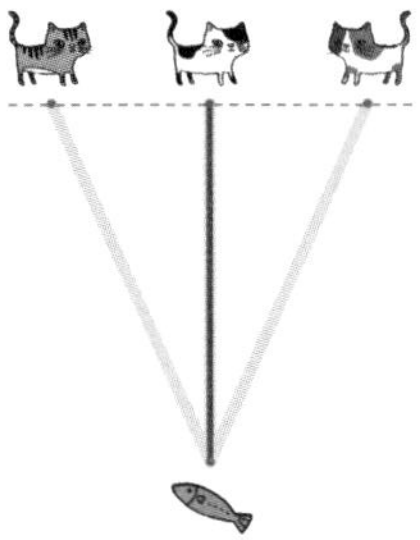

❹

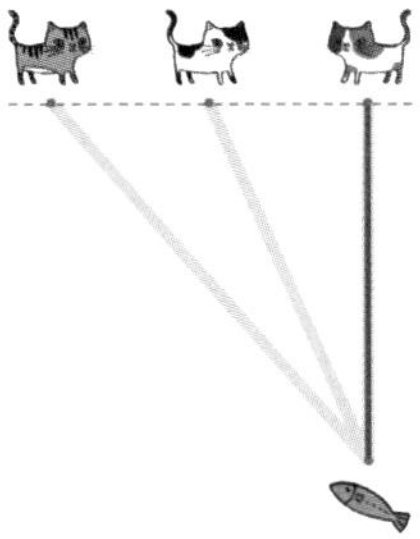

❺

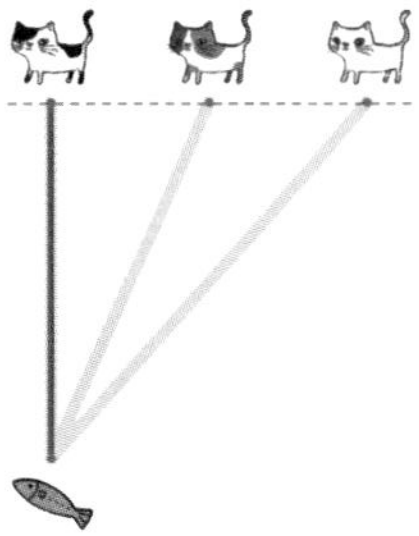

❻

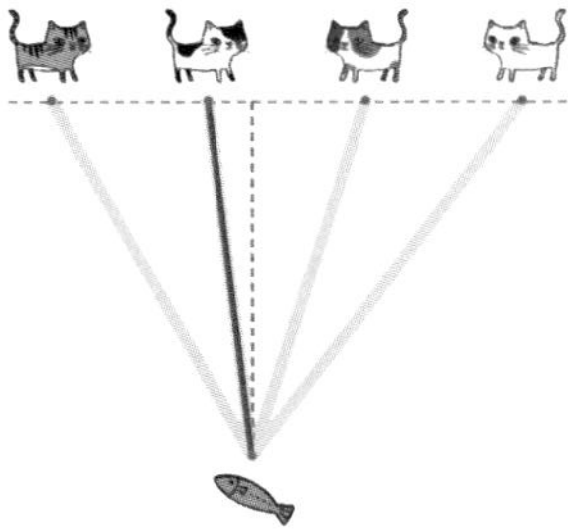

DAY 3 더 짧은 길 (1)

더 짧은 길에 ○표 하세요.

DAY 4

더 짧은 길 (2)

더 짧은 길에 ○표 하세요.

( ) 6칸 (○) 4칸

멸 칸인지 세어서 비교해 봐.

❶ (○) ( )

❷ (○) ( )

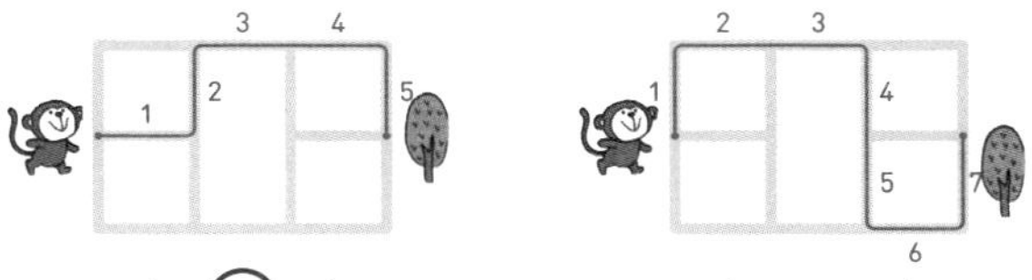

❸ ( ) (○)

❹ (○) ( )

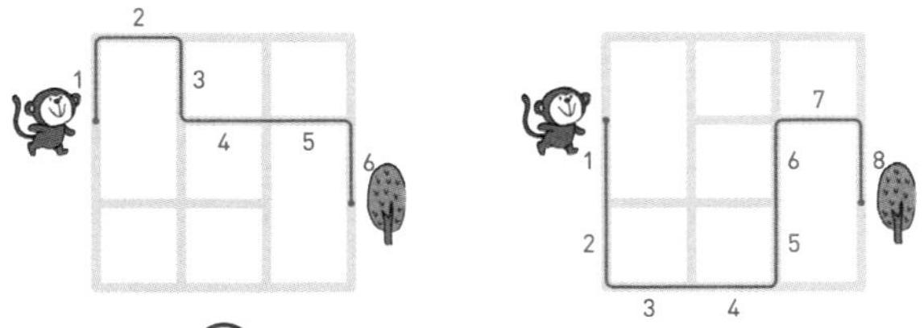

❺ ( ) (○)

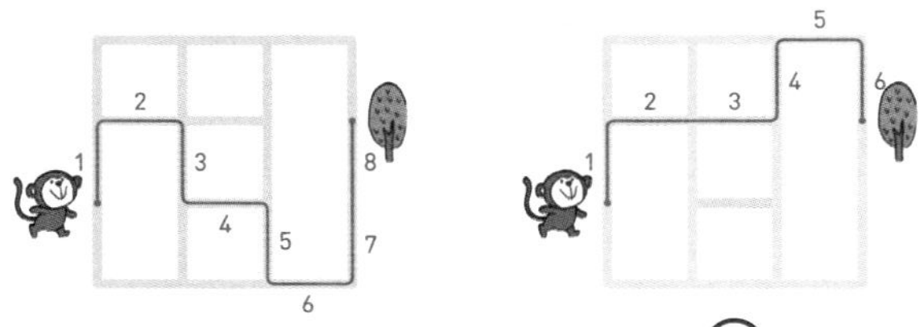

2주차 가장 짧은 길

DAY 5 지름길

더 짧은 길에 ○표 하세요.

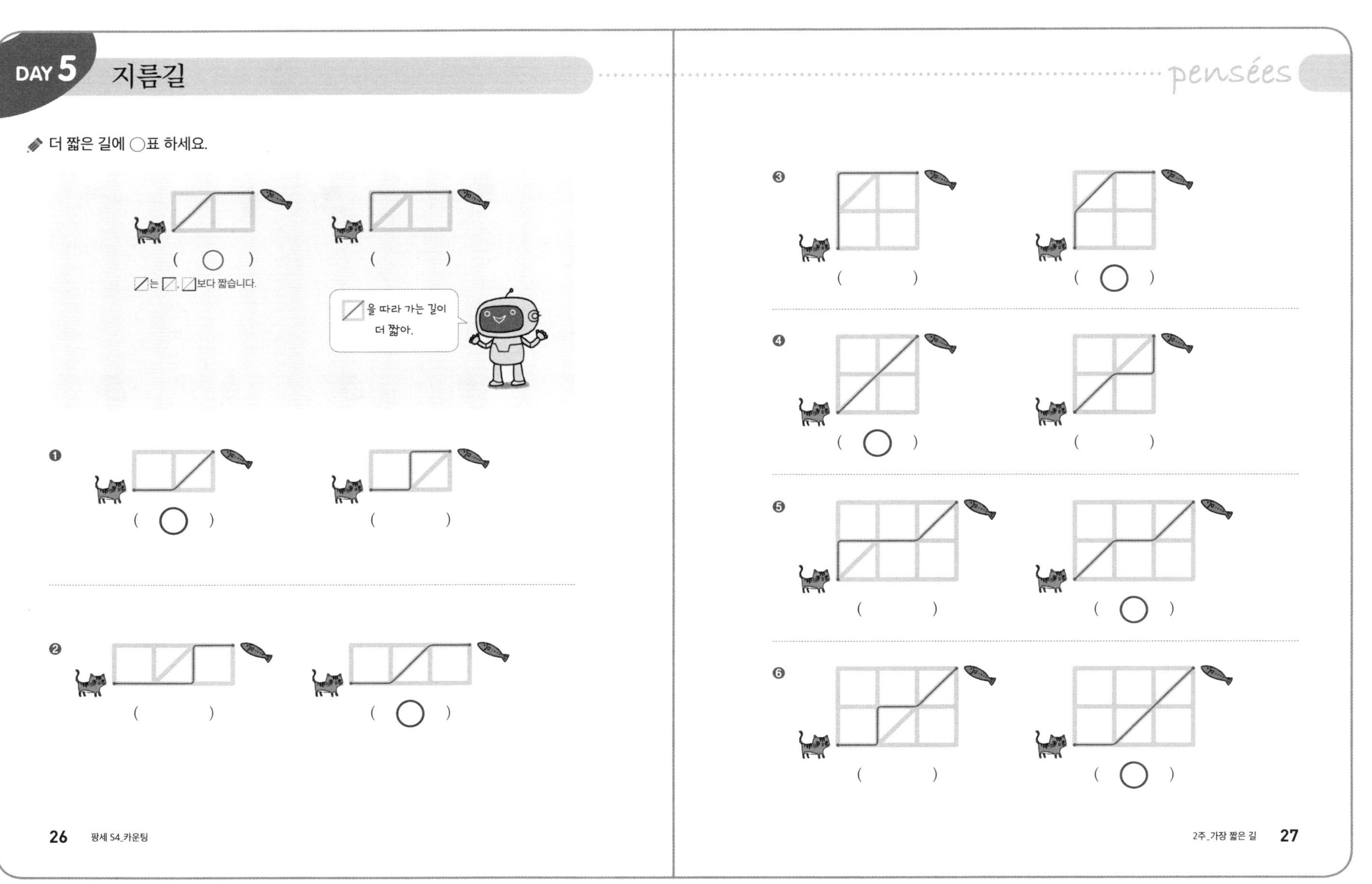

(○)
( )
는 , 보다 짧습니다.
을 따라 가는 길이 더 짧아.
pensées

2 주차

확인학습

둘 중 더 짧은 길에 ○표 하세요.

❶ ❷ ❸ ❹

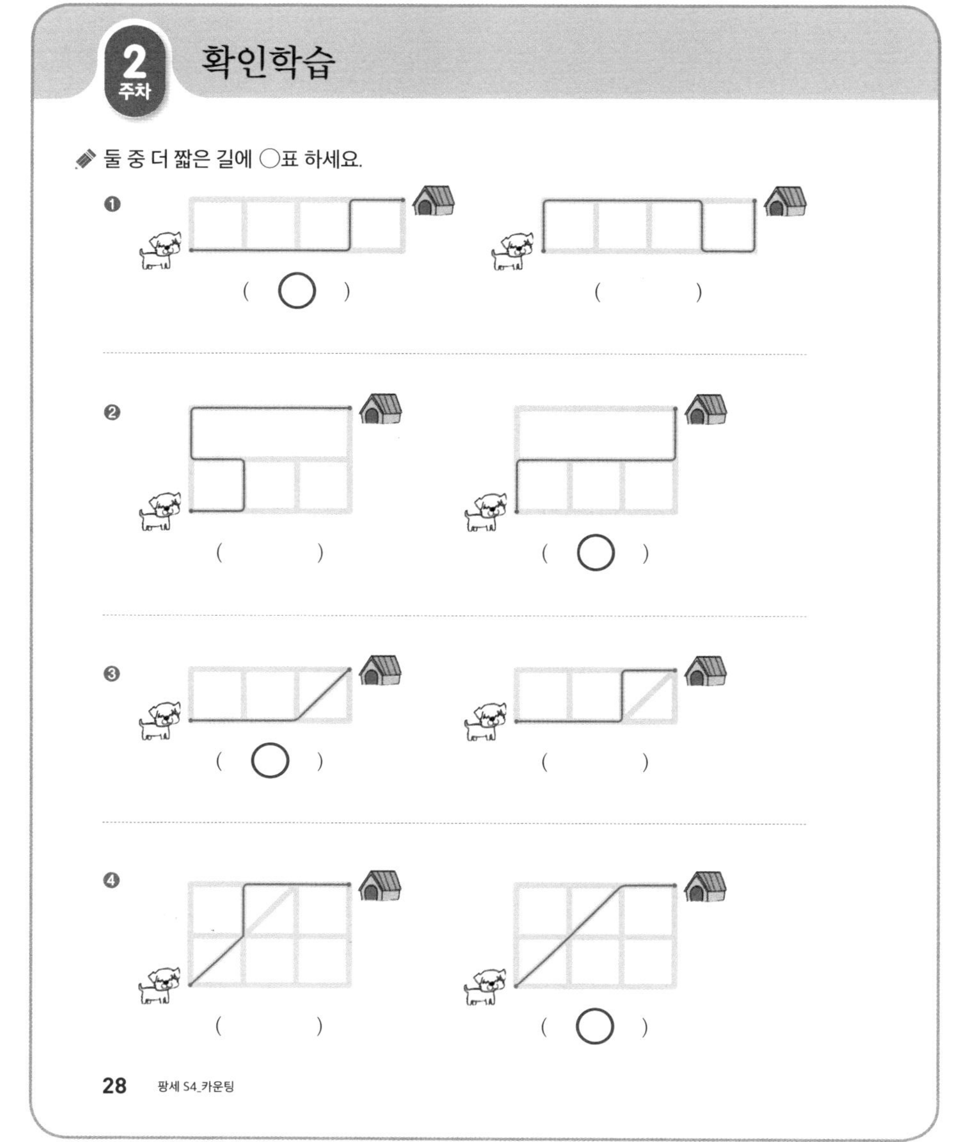

3주차 얼마입니까?

DAY 1 얼마입니까? (1)

모두 얼마입니까?

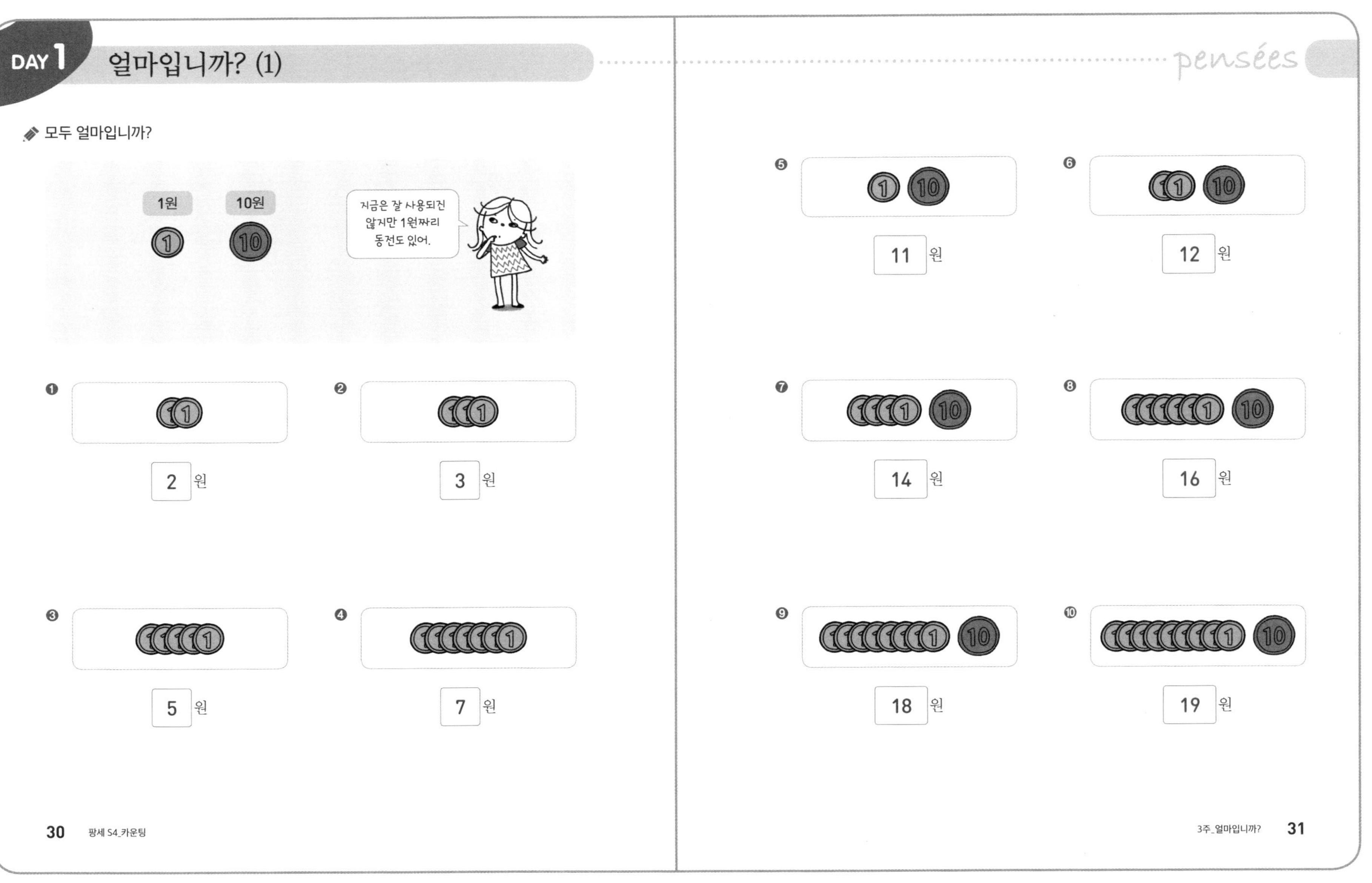

❶ 2 원

❷ 3 원

❸ 5 원

❹ 7 원

❺ 11 원

❻ 12 원

❼ 14 원

❽ 16 원

❾ 18 원

❿ 19 원

DAY 2

얼마입니까? (2)

모두 얼마입니까?

5원

5

5원짜리 동전도 요즘에는 잘 사용하지 않아.

❶ 7 원

❷ 8 원

❸ 9 원

❹ 11 원

❺ 13 원

❻ 14 원

❼ 15 원

❽ 16 원

❾ 17 원

❿ 19 원

DAY 3 동전 모으기

✎ 선을 따라가며 동전을 모았습니다. 모은 돈은 얼마입니까?

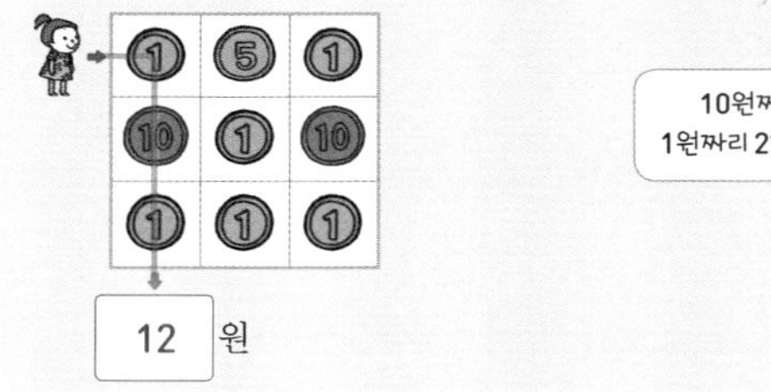

12 원

❶ 8 원

5원짜리 1개, 1원짜리 3개
➡ 8원

❷

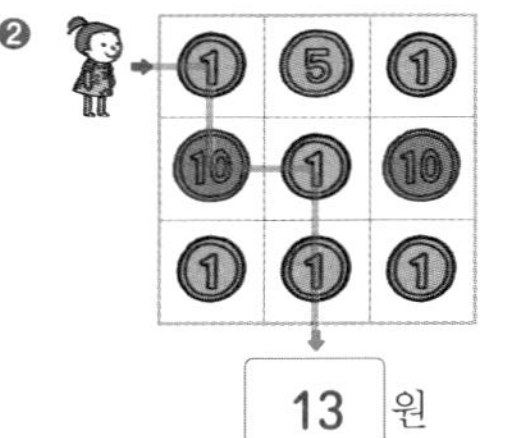

13 원

10원짜리 1개, 1원짜리 3개
➡ 13원

pensées

❸ 9 원

5원짜리 1개, 1원짜리 4개
➡ 9원

❹

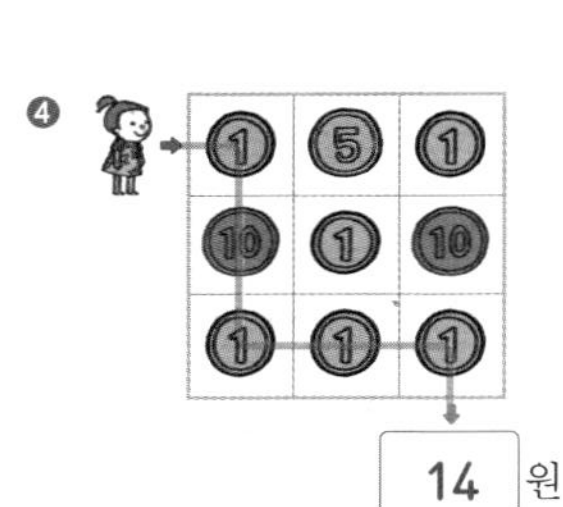

14 원

10원짜리 1개, 1원짜리 4개
➡ 14원

❺

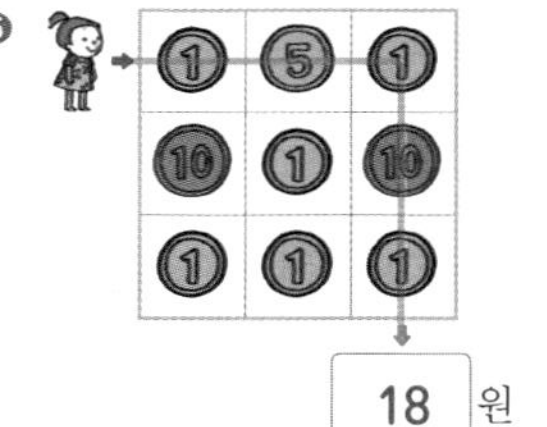

18 원

10원짜리 1개, 5원짜리 1개, 1원짜리 3개
➡ 18원

❻

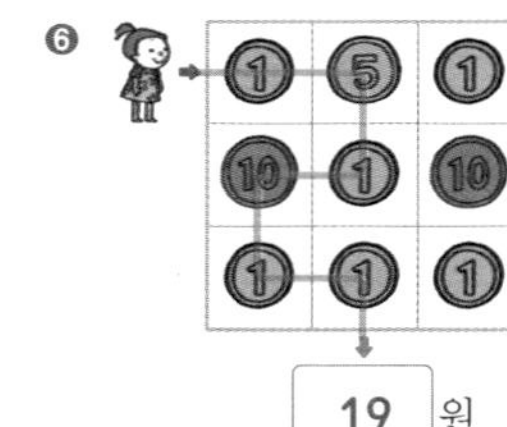

19 원

10원짜리 1개, 5원짜리 1개, 1원짜리 4개
➡ 19원

DAY 4 금액에 맞게 (1)

금액에 맞게 선을 그어 보세요. 선은 가로, 세로로만 그을 수 있습니다.

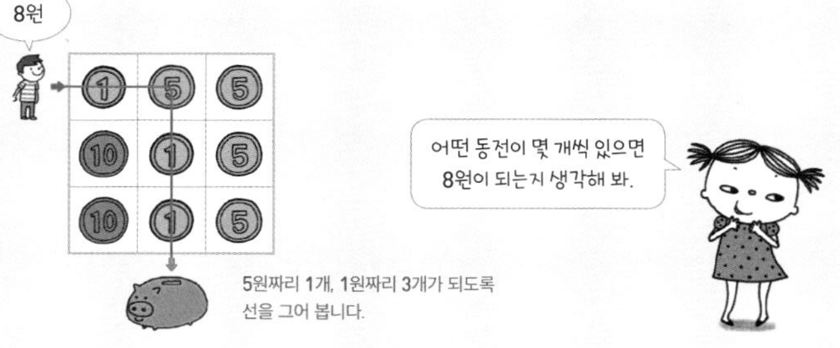

5원짜리 1개, 1원짜리 3개가 되도록 선을 그어 봅니다.

❶

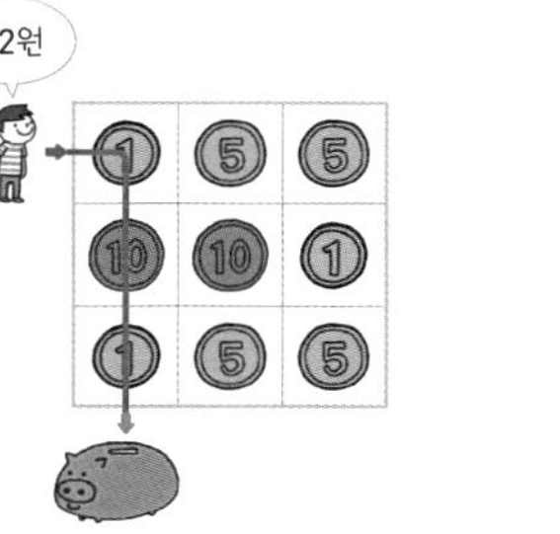

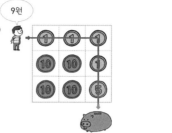

10원짜리 1개, 1원짜리 2개가 되도록 선을 그어 봅니다.

❷

10원짜리 1개, 1원짜리 3개가 되도록 선을 그어 봅니다.

❸

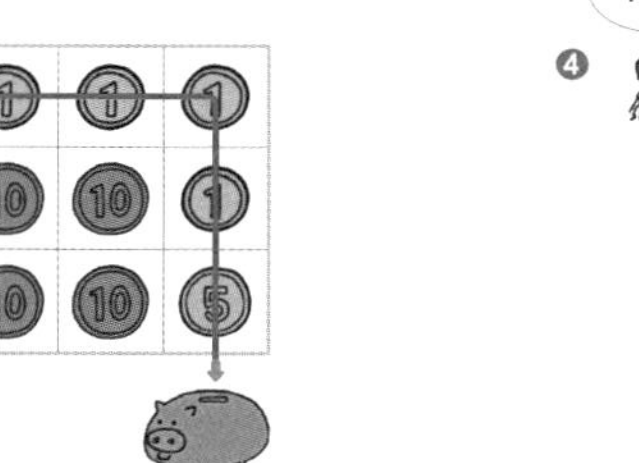

5원짜리 1개, 1원짜리 4개가 되도록 선을 그어 봅니다.

❹

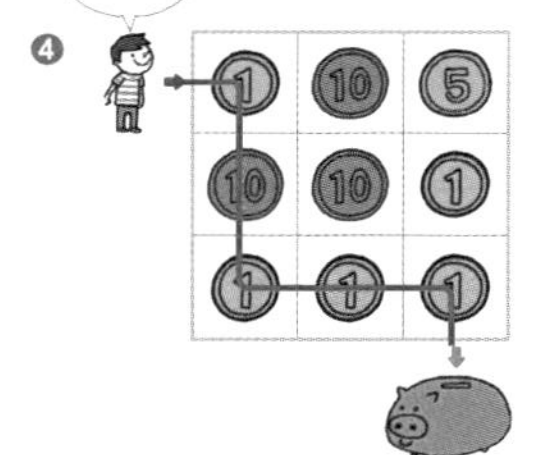

10원짜리 1개, 1원짜리 4개가 되도록 선을 그어 봅니다.

❺

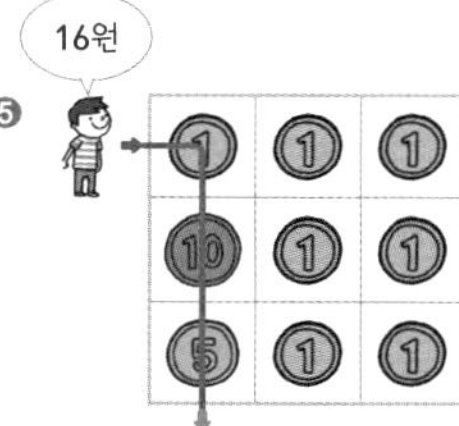

10원짜리 1개, 5원짜리 1개, 1원짜리 1개가 되도록 선을 그어 봅니다.

❻

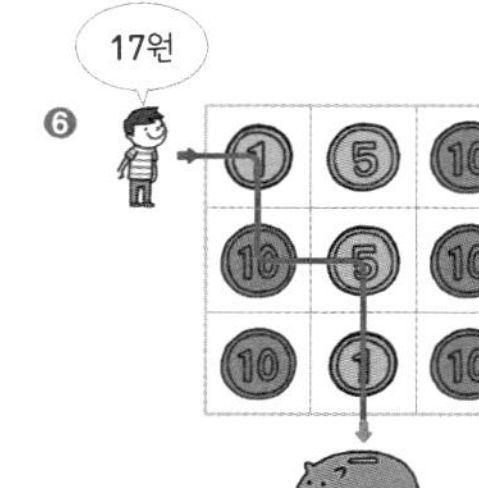

10원짜리 1개, 5원짜리 1개, 1원짜리 2개가 되도록 선을 그어 봅니다.

DAY 5 금액에 맞게 (2)

✎ 저금통 안의 금액에 맞도록 ◯ 안에 1, 5, 10 중 알맞은 수를 쓰세요.

6원

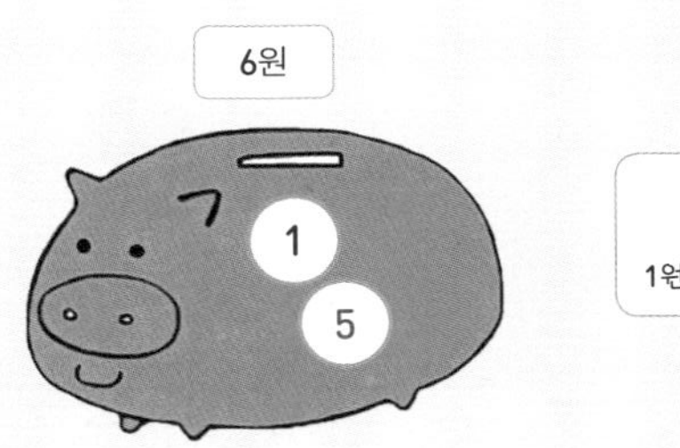

❶ 7원

5원짜리 1개, 1원짜리 2개가 있어야 합니다.

❷ 13원

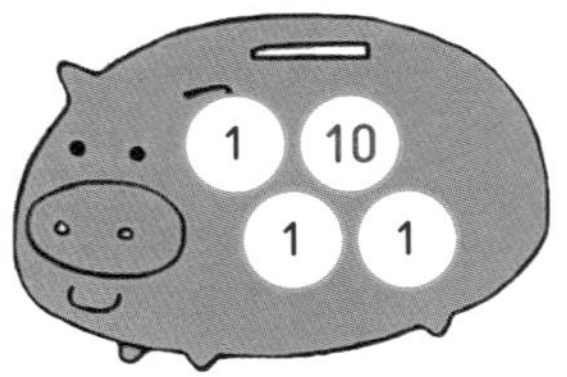

10원짜리 1개, 1원짜리 3개가 있어야 합니다.

❸ 12원

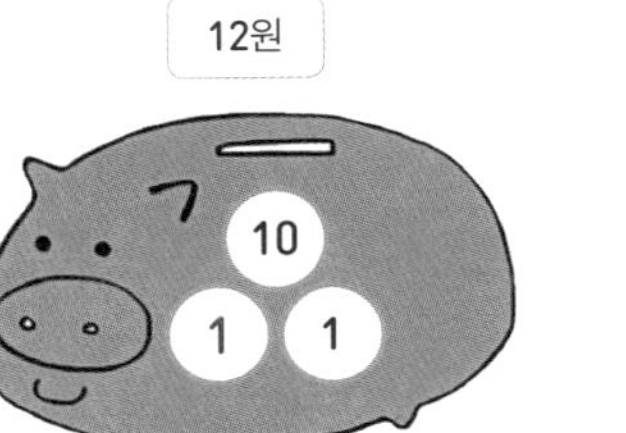

10원짜리 1개, 1원짜리 2개가 있어야 합니다.

❹ 9원

5원짜리 1개, 1원짜리 4개가 있어야 합니다.

❺ 16원

10원짜리 1개, 5원짜리 1개, 1원짜리 1개가 있어야 합니다.

❻ 18원

10원짜리 1개, 5원짜리 1개, 1원짜리 3개가 있어야 합니다.

확인학습

선을 따라가며 동전을 모았습니다. 모은 돈은 얼마입니까?

❶

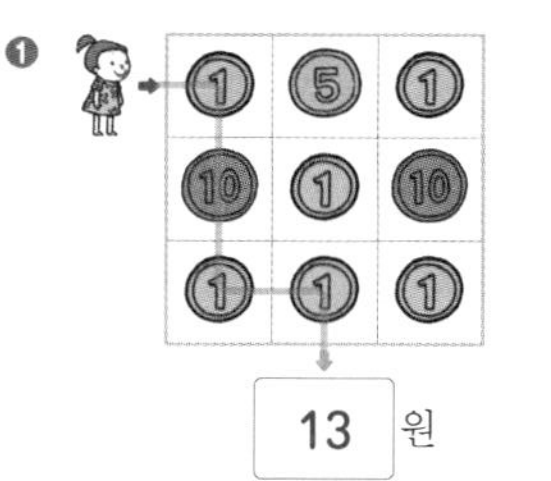

13 원

10원짜리 1개, 1원짜리 3개
➡13원

❷

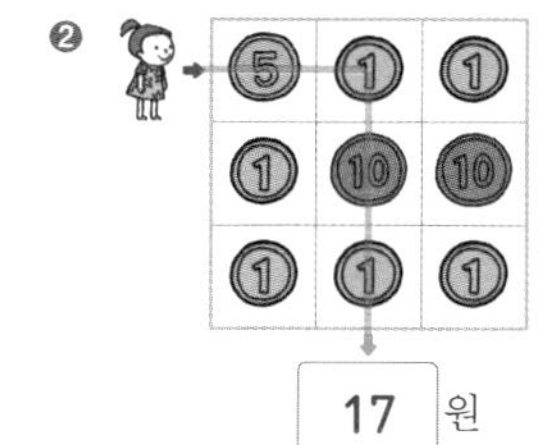

17 원

10원짜리 1개, 5원짜리 1개, 1원짜리 2개
➡17원

저금통 안의 금액에 맞도록 ◯ 안에 1, 5, 10 중 알맞은 수를 쓰세요.

❸

5원짜리 1개, 1원짜리 3개가 있어야 합니다.

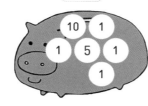

❹ 19원

10 1 1 5 1 1

10원짜리 1개, 5원짜리 1개,
1원짜리 4개가 있어야 합니다.

4주차 표로 나타내기

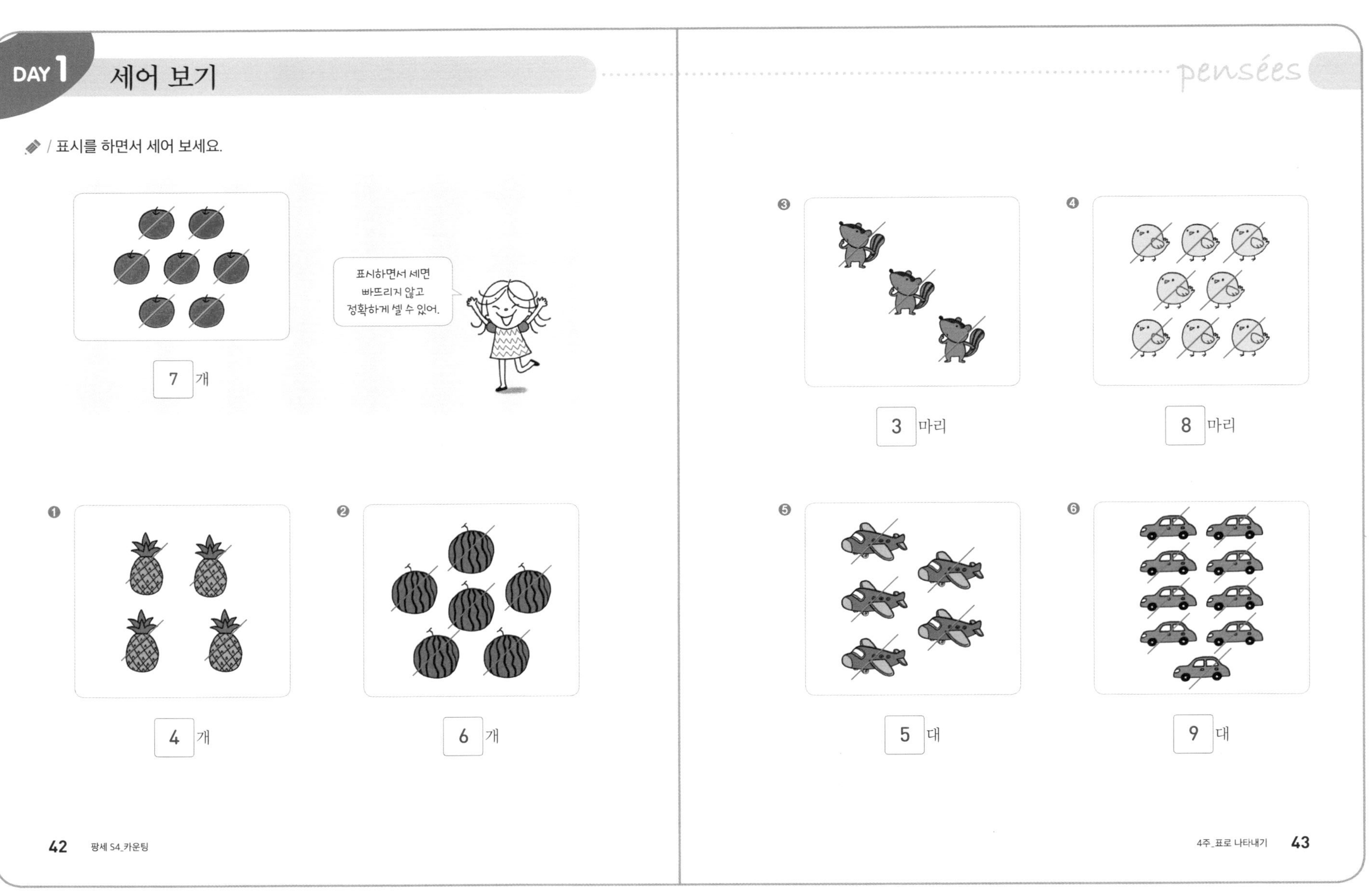
DAY 1 세어 보기
pensées
표시를 하면서 세어 보세요.
7 개
표시하면서 세면
빠뜨리지 않고
정확하게 셀 수 있어.
❶
4 개
❷
6 개
❸
3 마리
❹
8 마리
❺
5 대
❻
9 대

DAY 2

섞여 있는 것 세어 보기

종류별로 다른 표시를 하면서 세어 보세요.

❶

: 4 대, : 3 대, : 2 대

❷

: 3 마리, : 5 마리, : 7 마리

❸

: 2 마리, : 6 마리, : 5 마리

❹

: 4 개, : 5 개, : 8 개

4주차 표로 나타내기

DAY 3 표로 나타내기 (1)

종류별로 세어 표를 완성하세요.

❶

<동물별 마리 수>

동물				
마리	4	3	6	7

pensées

❷

<구슬별 개수>

구슬				
개수	5	7	9	8

DAY 4 표로 나타내기 (2)

✎ 그림을 보고 종류별로 세어 표를 완성하세요.

❶

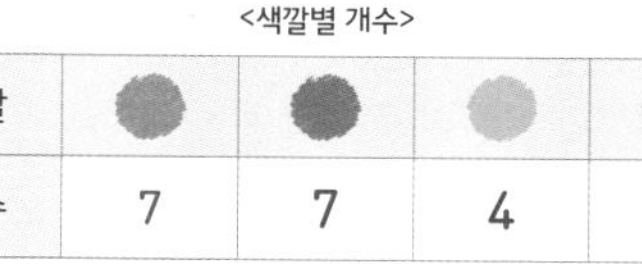

<색깔별 개수>

색깔	(색1)	(색2)	(색3)	(색4)
개수	7	7	4	6

<모양별 개수>

모양	(자동차)	(비행기)	(트럭)
개수	10	8	6

❷

<색깔별 개수>

색깔	(색1)	(색2)	(색3)
개수	9	7	8

<모양별 개수>

모양	(바지)	(티셔츠)	(양말)	(모자)
개수	6	5	5	8

DAY 5 표를 보고 답하기

표를 보고 물음에 답하세요.

<가게의 과일 개수>

과일				
개수	5	7	3	5

❶ 가장 많은 과일에 ○표 하세요.

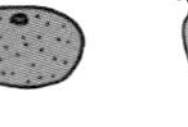

❷ 가장 적은 과일에 ×표 하세요.

❸ 개수가 서로 같은 과일에 모두 △표 하세요.

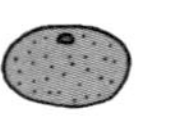

<방에 있는 장난감 수>

장난감					
개수	6	2	9	6	7

❹ 가장 많은 장난감에 ○표 하세요.

❺ 가장 적은 장난감에 ×표 하세요.

❻ 개수가 서로 같은 장난감에 모두 △표 하세요.

❼ 개수가 두 번째로 많은 장난감에 □표 하세요.

확인학습

종류별로 세어 표를 완성하세요.

<색깔별 개수>

색깔				
개수	5	7	4	8

<모양별 개수>

모양			
개수	5	11	8

마무리 평가

TEST 1 마무리 평가

제한 시간 15분
맞은 개수 / 6개

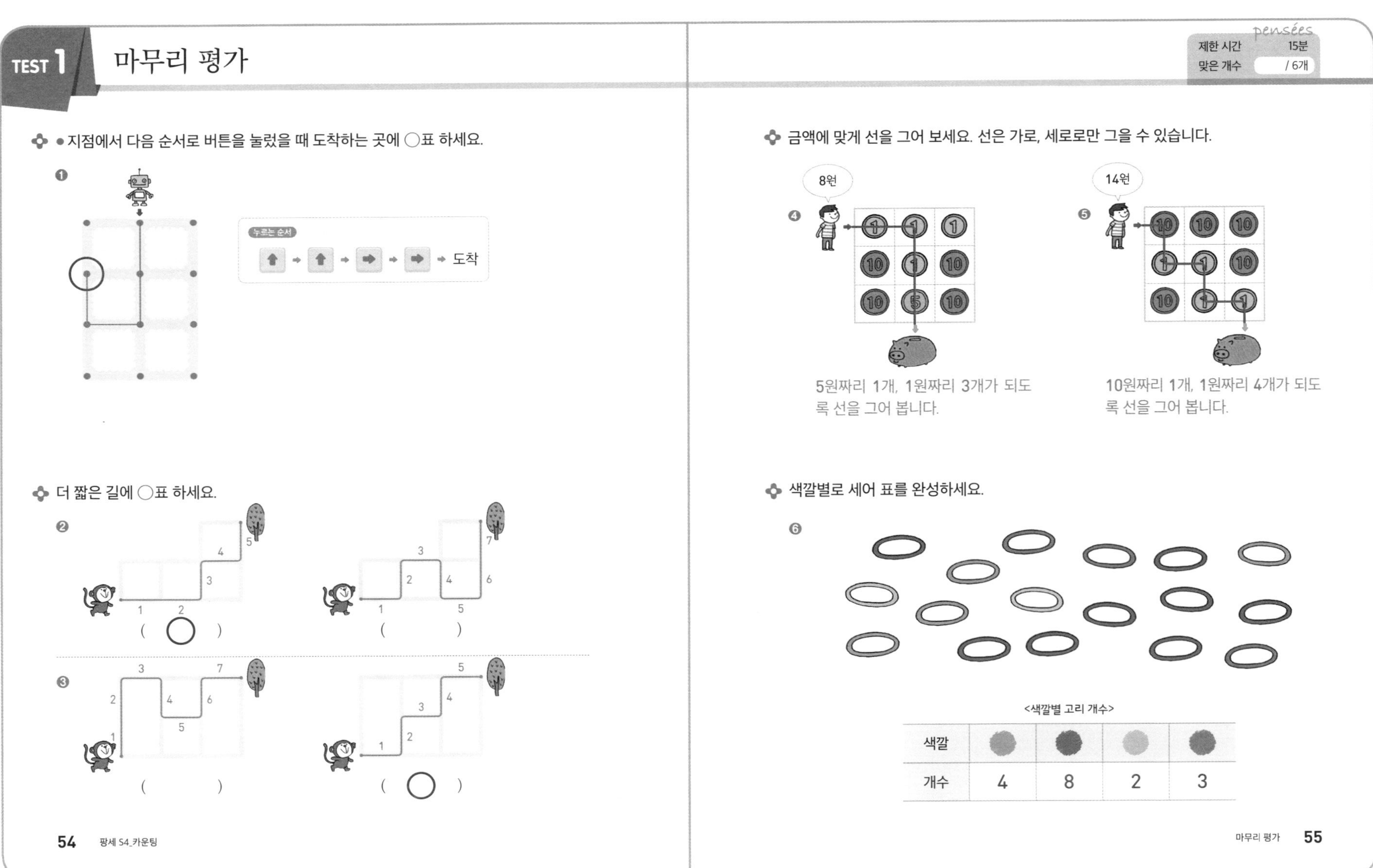

◆ ●지점에서 다음 순서로 버튼을 눌렀을 때 도착하는 곳에 ○표 하세요.

❶

누르는 순서: ⬆ → ⬆ → ➡ → ➡ → 도착

◆ 더 짧은 길에 ○표 하세요.

❷ (○) ( )

❸ ( ) (○)

◆ 금액에 맞게 선을 그어 보세요. 선은 가로, 세로로만 그을 수 있습니다.

❹ 8원

5원짜리 1개, 1원짜리 3개가 되도록 선을 그어 봅니다.

❺ 14원

10원짜리 1개, 1원짜리 4개가 되도록 선을 그어 봅니다.

◆ 색깔별로 세어 표를 완성하세요.

❻

<색깔별 고리 개수>

색깔	●	●	●	●
개수	4	8	2	3

TEST 2

마무리 평가

제한 시간 15분
맞은 개수 / 8개

✤ 앞으로 가다가 갈림길이 나오면 주어진 방향으로 바꿉니다. 가는 길을 선으로 나타내고 도착하는 곳에 ○표 하세요.

❶ 방향 왼쪽 ➡ 오른쪽

❷ 방향 앞 ➡ 오른쪽 ➡ 오른쪽

✤ 더 짧은 길에 ○표 하세요.

❸ (○) ( )

❹ ( ) (○)

✤ 저금통 안의 금액에 맞도록 ◯ 안에 1, 5, 10 중 알맞은 수를 쓰세요.

❺ 14원

10 1 1 1 1

10원짜리 1개, 1원짜리 4개가 있어야 합니다.

❻ 17원

10 5 1 1

10원짜리 1개, 5원짜리 1개, 1원짜리 2개가 있어야 합니다.

✤ 표를 보고 물음에 답하세요.

<가게의 채소 개수>

채소	당근	가지	피망	양파
개수	4	6	3	8

❼ 가장 많은 채소에 ○표 하세요.

❽ 가장 적은 채소에 ×표 하세요.

마무리 평가

TEST 3 마무리 평가

◆ ● 지점에서 다음 순서로 버튼을 눌렀을 때 도착하는 곳에 ◯표 하세요.

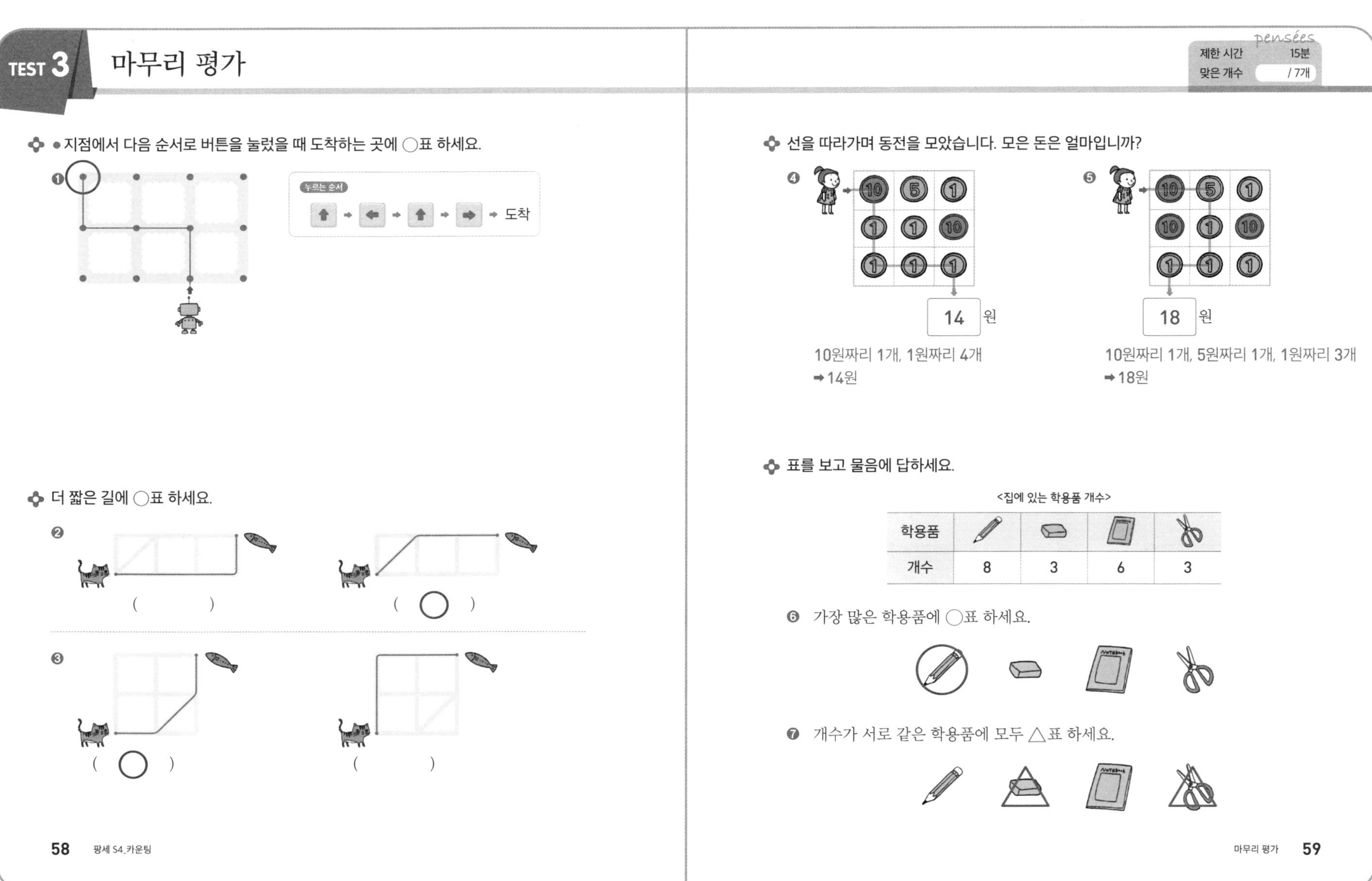

❶

◆ 더 짧은 길에 ◯표 하세요.

❷ (   ) (◯)

❸ (◯) (   )

◆ 선을 따라가며 동전을 모았습니다. 모은 돈은 얼마입니까?

❹ 14 원

10원짜리 1개, 1원짜리 4개
➡ 14원

❺ 18 원

10원짜리 1개, 5원짜리 1개, 1원짜리 3개
➡ 18원

◆ 표를 보고 물음에 답하세요.

<집에 있는 학용품 개수>

학용품	연필	지우개	공책	가위
개수	8	3	6	3

❻ 가장 많은 학용품에 ◯표 하세요.

❼ 개수가 서로 같은 학용품에 모두 △표 하세요.

TEST 4 마무리 평가

제한 시간 15분
맞은 개수 / 6개

✤ 앞으로 가다가 갈림길이 나오면 주어진 방향으로 바꿉니다. 가는 길을 선으로 나타내고 도착하는 곳에 ○표 하세요.

❶ 방향 왼쪽 ➡ 오른쪽 ➡ 왼쪽

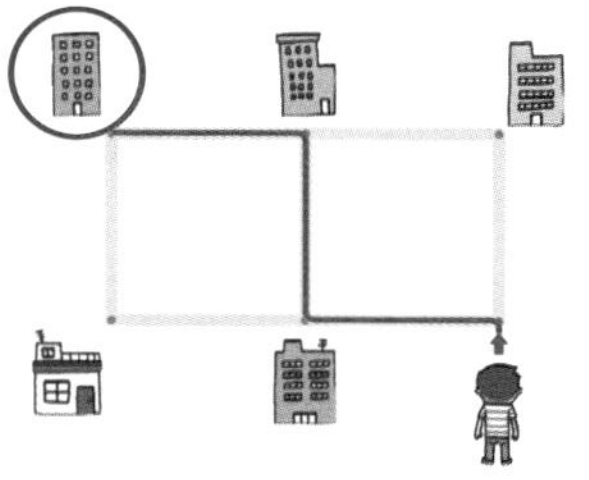

❷ 방향 앞 ➡ 왼쪽 ➡ 앞

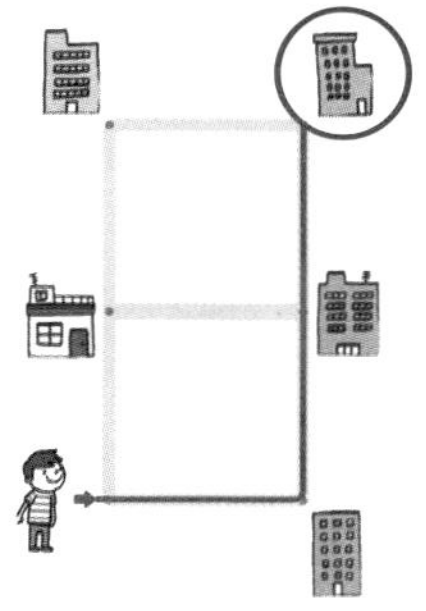

✤ 더 짧은 길에 ○표 하세요.

❸

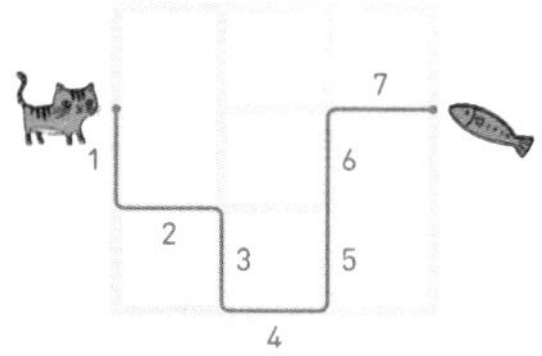

( )

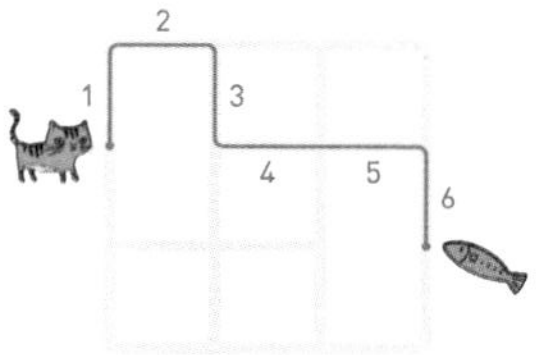

(○)

✤ 저금통 안의 금액에 맞도록 ○ 안에 1, 5, 10 중 알맞은 수를 쓰세요.

❹ 9원

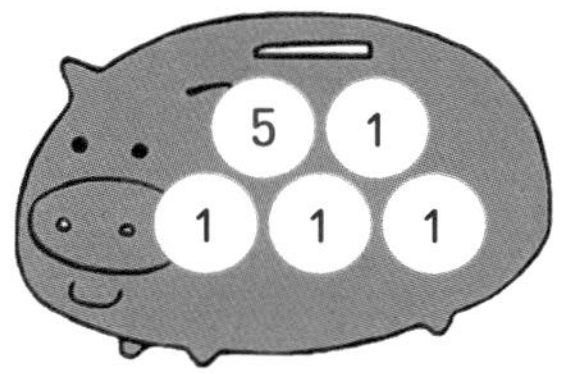

5원짜리 1개, 1원짜리 4개가 있어야 합니다.

❺ 16원

10원짜리 1개, 5원짜리 1개, 1원짜리 1개가 있어야 합니다.

✤ 그림을 보고 색깔별로 세어 표를 완성하세요.

❻

<색깔별 풍선 개수>

색깔			
개수	4	7	2

마무리 평가

TEST 5 마무리 평가

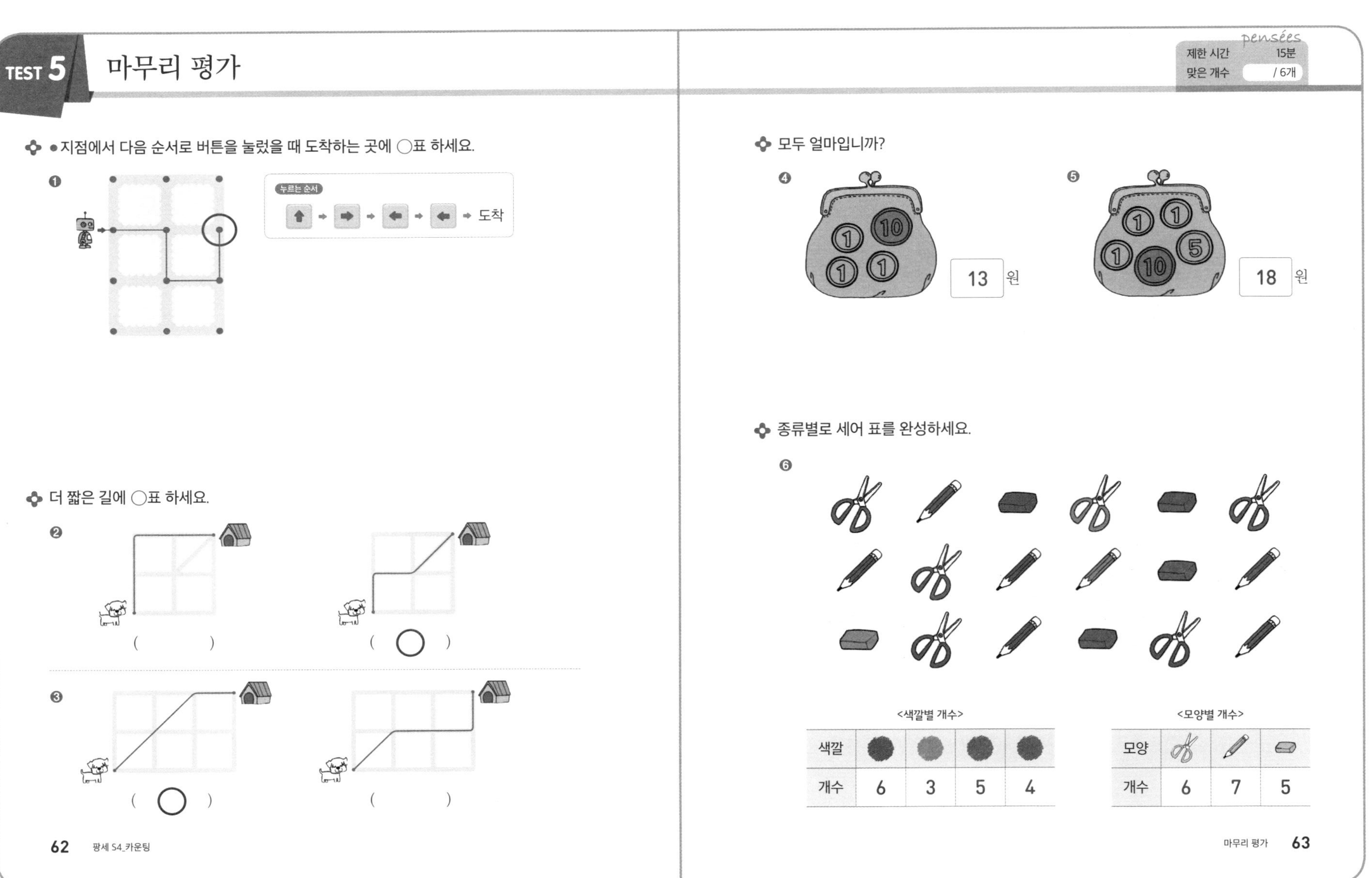

✤ ●지점에서 다음 순서로 버튼을 눌렀을 때 도착하는 곳에 ○표 하세요.

❶

✤ 더 짧은 길에 ○표 하세요.

❷ (   ) (○)

❸ (○) (   )

✤ 모두 얼마입니까?

❹ 13 원

❺ 18 원

✤ 종류별로 세어 표를 완성하세요.

❻

<색깔별 개수>

색깔	●	●	●	●
개수	6	3	5	4

<모양별 개수>

모양	가위	연필	지우개
개수	6	7	5

pensées

pensées

씨투엠 지식과상상 since 2013 연구소

교재 소개 및 난이도 안내

*일부 교재 출시 예정입니다.

Man is but a reed,
the most feeble thing in nature;
but he is a thinking reed,

"인간은 자연에서 가장 연약한 갈대에 불과하다.
하지만 인간은 생각하는 갈대이다."

Blaise Pascal, 블레즈 파스칼

초등 수학 교구 상자

펜토미노턴

평면 공간감각을 길러주는 회전 펜토미노 퍼즐

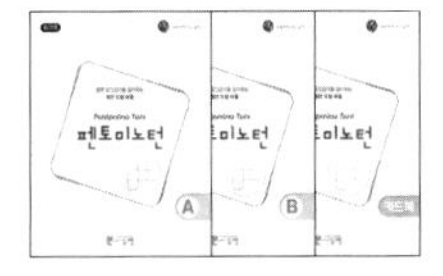

초등학생들이 어려워하는 '평면도형의 이동'을 펜토미노와 패턴블록으로 도형을 직접 돌려 보며 재미있게 해결하는 공간감각 퍼즐입니다.

큐브빌드

입체 공간감각을 길러주는 멀티큐브 퍼즐

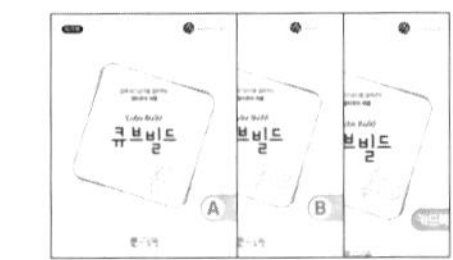

머릿속으로 그리기 어려운 입체도형을 쌓기나무와 멀티큐브를 이용하여 직접 만들어 위, 앞, 옆 모양을 관찰하고, 다양한 입체 모양을 만드는 공간감각 퍼즐입니다.

폴리탄

도형 감각을 길러주는 입체 칠교 퍼즐

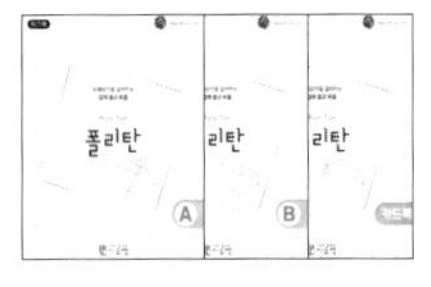

정사각형을 7조각으로 자른 '입체 칠교'와 직각이등변삼각형을 붙인 '입체 볼로'를 활용하여 평면뿐만 아니라 다양한 입체도형 문제를 해결하는 퍼즐입니다.

트랜스넘버

자유자재로 식을 만드는 멀티 숫자 퍼즐

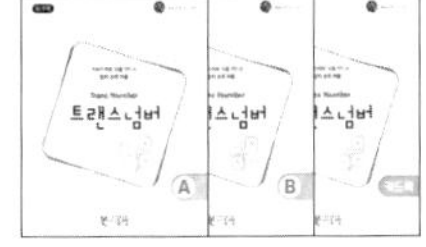

자유자재로 식을 만들고 이를 변형, 응용하는 활동을 통해 연산 원리와 연산감각을 길러주는 멀티 숫자 퍼즐입니다.

머긴스빙고

수 감각을 길러주는 창의 연산 보드 게임

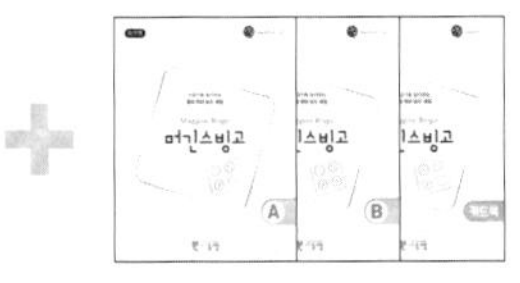

빙고 게임과 머긴스 게임을 활용하여 수 감각과 연산 능력을 끌어올리고 전략적 사고를 키우는 사고력 보드 게임입니다.

폴리스퀘어

공간감각을 길러주는 입체 폴리오미노 보드 게임

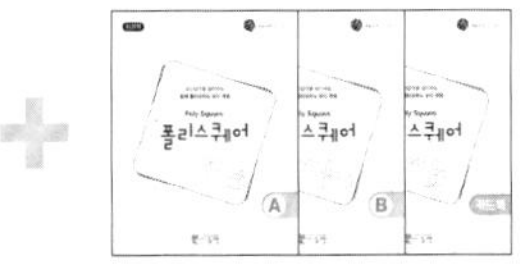

모노미노부터 펜토미노까지의 폴리오미노를 이용하여 다양한 모양을 만들어 보고, 여러 가지 땅따먹기 게임 등을 통해 공간감각을 기를 수 있는 보드 게임입니다.

큐보이드

입체를 펼치고 접는 전개도 퍼즐

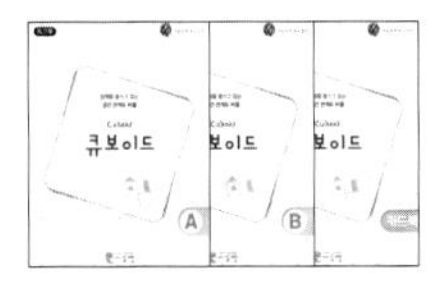

여러 가지 모양의 면을 자유롭게 연결하여 접었다 펼치는 활동을 통해 정육면체, 직육면체 전개도의 모든 것을 알아보는 전개도 퍼즐입니다.